Doris Fritzsche
Ibrahim Elmadfa

TABLA DE GRASAS BUENAS, GRASAS MALAS

HISPANO
EUROPEA

Título de la edición original:
Gute Fette - schlechte Fette

Es propiedad, 2007
© Gräfe und Unzer Verlag GmbH, Munich

© de la edición en castellano, 2009:
Editorial Hispano Europea, S. A.
Primer de Maig, 21 - Pol. Ind. Gran Via Sud
08908 L'Hospitalet - Barcelona, España.
hispanoeuropea@hispanoeuropea.com
www.hispanoeuropea.com

© de la traducción: **Margarita Gutiérrez**

Depósito Legal: B. 18937-2009

ISBN: 978-84-255-1867-6

Impreso en España
Comgrafic, S. A.
Llull, 105-107
08005 Barcelona

ÍNDICE

PRÓLOGO

El título *Tabla de grasas buenas, grasas malas* ya lleva implícito el hecho de que en este libro, la cuestión principal es la calidad de la grasa. Ya que, de hecho, una dieta extremadamente pobre o incluso exenta de grasas es totalmente insana. La opción sana consiste en comer teniendo conciencia de las grasas que se consumen y elegir las grasas de mejor calidad en la cantidad correcta.

Con este libro queremos dirigirnos a todos aquellos que desean informarse sobre las grasas corporales, las grasas sanguíneas y la influencia de las distintas grasas de los alimentos. En la parte teórica respondemos a importantes preguntas sobre los efectos de las grasas corporales y sanguíneas beneficiosas y perjudiciales, así como de las grasas alimentarias positivas y negativas para nuestro organismo.

Conocerán qué cantidad de grasa es sana, qué grasas son imprescindibles para la vida y qué protección vitamínica es necesaria. Informamos de cómo prevenir los riesgos para la salud y cómo mejorar activamente las grasas sanguíneas mediante la reducción de determinadas grasas alimentarias y la introducción consciente de otras grasas importantes.

Extensas y detalladas tablas le facilitan la elección de las grasas más beneficiosas para su salud. En un capítulo propio, mostramos cómo podemos influir beneficiosamente sobre la enfermedad inflamatoria articular más frecuente, la artritis reumatoide, mediante una elección correcta de las grasas.

Consejos prácticos para un día a día con conciencia de las grasas e instrucciones para la preparación de comidas más sanas y sabrosas teniendo en cuenta la teoría y las tablas.

Le deseamos una lectura entretenida y que la aplicación de nuestros consejos le sea útil.

Doris Fritzsche e Ibrahim Elmadfa

GRASAS. GENERALIDADES

Las grasas son un componente importante de nuestra alimentación diaria. Constituyen el principal almacén de energía del organismo. En 1 g de grasa pura pueden almacenarse 9 kcal, es decir, 1 kg contiene 9000 kcal. Esto representa el doble de la energía almacenada en 1 kg de proteína o de carbohidratos, el cual contiene solo 4000 kcal. Así pues, las grasas son la principal fuente de energía.

Sin grasas no es posible la vida

Para empezar, el concepto más importante: determinadas grasas (grasas beneficiosas) son esenciales para el mantenimiento de la salud del organismo humano. Esto es así tanto para las grasas corporales como para las grasas de los alimentos. Podemos evitar la ingesta de determinadas grasas porque el organismo es capaz de fabricarlas. Por otra parte, algunas grasas (grasas perjudiciales) deben utilizarse con moderación.

En las siguientes páginas conocerá las funciones que en el organismo humano desempeñan las grasas corporales, sanguíneas y alimentarias y qué grasas debería tomar y en qué medida.

LAS GRASAS CORPORALES

El tejido graso no es grasa pura sino que contiene también agua y una pequeña proporción de proteínas. De esta manera, 1 kg de grasa corporal contiene almacenadas unas 7000 kcal –mucho más que proteínas o carbohidratos–. Para almacenar 7000 kcal en forma de proteína o carbohidratos se precisaría un depósito de energía de alrededor de

---

1 kilocaloría (kcal) = 4,184 kilojulios (kj)
Una unidad de energía que todavía se utiliza –el kilojulio «más moderno» no ha conseguido imponerse–. 1 kcal es la cantidad de energía que se necesita para calentar un litro de agua de 14,5 °C a 15,5 °C.

1,75 kg. Así pues, el tejido graso ofrece la ventaja siguiente: en pocos kg podemos almacenar reservas relativamente grandes de energía.

Algo más que un almacén de energía y los odiados «michelines»

Junto a su función de almacén energético, las grasas desempeñan en el organismo una importante función de protección.

Las grasas simples son conocidas también como grasas neutras o triglicéridos. Están formadas por glicerina y tres ácidos grasos (véase también pág. 14). Como grasas de almacenamiento contribuyen a la regulación de la temperatura corporal, como grasas estructurales protegen órganos como el globo ocular o los riñones frente a los traumatismos y almohadillan, por ejemplo, la yema de los dedos o la planta del pie.

> El acto de arrodillarse da fe de lo necesarias que son las grasas estructurales. La rodilla, al contrario que la planta del pie, no está protegida por grasa estructural, lo que provoca que al arrodillarnos sobre una superficie dura enseguida aparezca dolor.

Además de la glicerina y los ácidos grasos, las grasas complejas o compuestas, como la lecitina, contienen otros componentes como el ácido fosfórico y las uniones nitrogenadas. Son parte estructural de la membrana de todas las células (sobre todo en el cerebro y el tejido nervioso).

Asimismo, el colesterol forma parte de la membrana de todas las células del organismo así como de importantes hormonas, como las hormonas sexuales y la cortisona, y además es el precursor de la vitamina D y de los ácidos biliares, los cuales son necesarios para la correcta digestión de las grasas.

La cantidad correcta de grasa corporal.
Índice de masa corporal y distribución de la grasa

Una determinada cantidad de grasa corporal es esencial para el mantenimiento de la salud de nuestro organismo.

Un exceso de grasa corporal es perjudicial:

➤ Las articulaciones están sometidas a sobrecarga.

➤ Los órganos, principalmente el corazón y el hígado, acumulan grasa.

➤ Los vasos sanguíneos se estrechan, lo que conlleva un elevado riesgo de infarto de miocardio y AVC (accidente vascular cerebral).

El índice de masa corporal (IMC) está íntimamente relacionado con la cantidad de grasa corporal, por lo que es la principal herramienta para valorar el peso corporal.

El IMC se obtiene mediante la división del peso corporal (expresado en kg) por el cuadrado de la altura (expresada en m).

La fórmula es la siguiente:

$$IMC = \frac{\text{peso corporal en kg}}{(\text{altura en m})^2}$$

Así pues, la unidad del IMC es kg/m^2.

$$IMC = \frac{60 \text{ kg}}{1,6 \text{ m} \times 1,6 \text{ m}} = 23,4 \text{ kg/m}^2$$

Para una persona de 160 cm de altura y un peso de 60 kg el IMC es el siguiente:

Para la mujer:

➤ Un IMC de 19-24 kg/m^2 significa normopeso.

➤ Un IMC de 24,1-30 kg/m^2 significa sobrepeso.

Para el hombre:

➤ Un IMC de 20-25 kg/m^2 significa normopeso.

➤ Un IMC de 25,1-30 kg/m^2 significa sobrepeso.

Para todos:

➤ Un IMC por encima de 30 kg/m^2 implica que el sobrepeso precisa tratamiento debido al elevado riesgo de aparición de enfermedades ligadas al sobrepeso como las enfermedades cardiovasculares, los trastornos del metabolismo lipídico, la diabetes mellitus y las enfermedades del aparato locomotor.

El IMC puede considerarse como el principal valor indicativo. No obstante, la verdadera estatura de una persona no se toma en consideración.
Para la valoración del estado de salud es importante también tener en cuenta el grado de actividad física.

Tipo manzana y tipo pera

El riesgo para la salud no viene determinado tan solo por la importancia del sobrepeso sino también por la distribución de los acúmulos de grasa. Así pues, para una valoración más precisa, además del IMC debe tenerse en cuenta la distribución de la grasa corporal.

Básicamente se distingue entre el tipo manzana y el tipo pera (véase figura pág. 10). En el tipo manzana (distribución androide de la grasa), junto con la acumulación de la grasa a nivel abdominal existe también un depósito de grasa alrededor de los órganos. Este patrón de distribución de la grasa está relacionado con un aumento del riesgo de aparición de enfermedades cardiovasculares.

Por el contrario, en el tipo pera (distribución ginoide de la grasa) aumenta la proporción de grasa subcutánea. Esta distribución de la grasa supone un riesgo para la salud esencialmente menor comparado al del normopeso.

Un método muy sencillo para determinar la distribución de la grasa corporal es el cociente cintura-cadera (CCC). Con ayuda de una cinta métrica, de pie y con los brazos ligeramente separados del cuerpo, se mide el contorno tanto de la cintura como de la cadera. El contorno de la cintura debe medirse a mitad de camino entre el borde superior de la cadera y la última costilla, mientras que el contorno de la cadera se toma a la altura de la parte más ancha. Seguidamente, se divide el contorno de la cintura (cm) por el contorno de la cadera (cm).

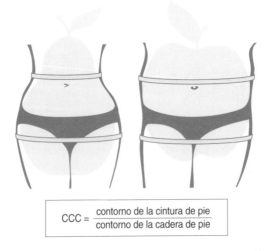

$$CCC = \frac{\text{contorno de la cintura de pie}}{\text{contorno de la cadera de pie}}$$

En la mujer, el CCC no debería ser superior a 0,85 y en el hombre el límite máximo del CCC es de 1,0.

No obstante, el CCC solo puede considerarse un criterio de valoración complementario del riesgo para la salud. En cualquier caso, debe tenerse en cuenta la relación entre el peso corporal y la envergadura. Una persona puede mostrar un CCC deseable incluso presentando un considerable sobrepeso.

LAS GRASAS SANGUÍNEAS

Las grasas y el colesterol no son solubles en un medio acuoso como la sangre. Por este motivo se unen a proteínas y de esta manera pueden ser transportadas. La unión de una grasa (lípidos) con una proteína recibe el nombre de lipoproteína. Las más importantes son la HDL y la LDL.

Lipoproteínas. Medio de transporte para las grasas y el colesterol

Las HDL son lipoproteínas de alta densidad que transportan el colesterol desde los tejidos hasta el hígado. Las HDL actúan como un servicio de limpieza de los vasos sanguíneos. Mantienen las arterias libres de colesterol y de esta manera evitan la estenosis de los vasos sanguíneos. Así, un nivel elevado de HDL es deseable. Los valores de HDL deberían ser como mínimo de 40 mg por cada 100 ml de sangre.

Las LDL son lipoproteínas de baja densidad que transportan el colesterol desde el hígado hacia los tejidos. En su camino, las LDL pueden depositar colesterol sobre las paredes vasculares y de esta manera disminuir su diámetro. Por este motivo, un valor de LDL bajo supone un valor de protección para la prevención de las enfermedades cardiovasculares.

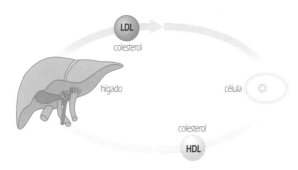

Para valorar el estado del metabolismo lipídico, no es suficiente el valor del colesterol total en sangre. Es mucho más importante la relación entre la LDL = «colesterol malo» y la HDL = «colesterol beneficioso». Lo positivo es una relación LDL:HDL por debajo de 4.

Un ejemplo; se determinaron los siguientes valores
Colesterol total = 210 mg/100 ml de sangre (el valor normal es de 200 mg/100 ml de sangre)
LDL = 160 mg/100 ml de sangre
HDL = 50 mg/100 ml de sangre

$$\frac{LDL}{HDL} = \frac{160}{50} = 3,2$$

Aunque el valor de 210 mg/100 ml del colesterol total está por encima del valor normal, la situación del metabolismo lipídico puede considerarse como buena en base a la buena relación LDL/HDL de 3,2.

Los valores de las lipoproteínas pueden verse activamente influenciados por el estilo de vida. Véase también pág. 85.

Prevención de los depósitos en las arterias; minimizar el riesgo individual

Para valorar el riesgo individual de aparición de enfermedades cardiovasculares, los médicos miden la presión arterial y diversos lípidos sanguíneos. En este sentido, el valor bajo de los triglicéridos (por debajo de 150 mg/100 ml), alto de la HDL (por encima de 40 mg/100 ml) y bajo de la LDL constituye una buena protección contra las enfermedades vasculares (arteriosclerosis). Para mantener bajo el riesgo cardiovascular, es necesario llevar un estilo de vida sano, sin tabaco y con consumo solo eventual de alcohol, así como con actividad física regular.

Los valores ideales del colesterol LDL se basan en los factores de riesgo individuales acompañantes o en las enfermedades que la persona ya presenta.

Con la ayuda del siguiente cuestionario puede determinar su propio valor ideal de LDL.

Calcule su riesgo cardiovascular individual

Por favor marque con una cruz y sume el número de factores de riesgo.

☐ edad (hombre de más de 45 años y mujeres de más de 55 años o mujeres con menopausia precoz)
☐ historia familiar de enfermedades cardiacas y vasculares
☐ hipertensión arterial (= 140/90 mm Hg o tratamiento antihipertensivo)
☐ tabaquismo
☐ colesterol total por encima de 240 mg/100 ml de sangre
☐ colesterol HDL por debajo de 40 mg/100 ml de sangre

De 0-1 factores de riesgo
Sin factores de riesgo o con un solo factor de riesgo se recomienda un valor LDL por debajo de 160 mg/100 ml de sangre.

A partir de 2 factores de riesgo
A partir de dos factores de riesgo es recomendable un valor de LDL más bajo, por debajo de 130 mg/100 ml de sangre.

Enfermedades cardiovasculares o diabetes mellitus
Las personas con estas enfermedades deben mantener su valor de LDL por debajo de 100 mg/100 ml de sangre.

Con un valor de colesterol HDL por encima de 60 mg/100 ml de sangre puede neutralizar uno de los factores de riesgo mencionados anteriormente. Esto significa que puede restar un factor de riesgo de la suma total y obtener eventualmente un nuevo valor de LDL ideal más elevado.

LAS GRASAS DE LOS ALIMENTOS

Las grasas presentes en la naturaleza están compuestas casi exclusivamente por mezclas de grasas simples. Estas están formadas por una parte de glicerina y tres ácidos grasos, por lo que se conocen también como triglicéridos. Para las grasas de los alimentos es válido lo mismo que para las grasas corporales –contienen grandes cantidades de energía y con cada gramo desprenden también 9 kcal–.

Los componentes más importantes de estas grasas simples son los ácidos grasos. Los ácidos grasos pueden ser saturados, monoinsaturados o poliinsaturados.

Además de las grasas simples, las grasas de los alimentos contienen otros esteroles (colesterol en los alimentos de origen animal, fitosteroles en los alimentos de origen vegetal) y las vitaminas liposolubles A, D, E y K. Para que las vitaminas liposolubles puedan ser absorbidas en el intestino es necesaria la presencia simultánea de las grasas y sus productos de digestión.

Además, las grasas de los alimentos contienen sustancias gustativas y aromas.

La vitamina hidrosoluble K, así como los carotenos (precursores de la vitamina A) y en parte también la vitamina E se encuentran en gran cantidad en las verduras pobres en grasas.

En la dieta diaria no deberían faltar comidas en las que se combinen las verduras con grasas alimentarias, ya que garantizan la captación óptima de las vitaminas liposolubles en el intestino.

Es recomendable cierta cantidad de grasas alimentarias

Para las personas con poca actividad física es recomendable una cantidad total de grasas del 25-30% como máximo del aporte energético total. Cuando la actividad muscular es mayor, la ingesta de grasas puede aumentar hasta un 35% de la cantidad total de energía. Las personas que realizan un trabajo físico importante y los deportistas de élite, con unas necesidades energéticas importantes, pueden aumentar la proporción de grasas de la dieta hasta un 40%.

La cantidad de grasas que debe tomar una persona depende de la energía que necesite individualmente. Ante una demanda de, por ejemplo, 1800 kcal por una actividad física ligera deberían tomarse entre 450 kcal y como máximo 540 kcal en forma de grasas. 9 kcal de grasa corresponden a 1 g. Así pues, según esta relación se obtiene una cantidad total de grasas de 50-60 g al día.

Tras la pista de las grasas ocultas

Esta cantidad total de grasas se refiere tanto a las grasas y aceites visibles como a las grasas ocultas en los alimentos. La mayor parte de las grasas ocultas se encuentran en los alimentos de origen animal como la carne, los productos cárnicos y lácteos, la leche, los huevos, el pescado y los productos derivados del pescado. No obstante, alimentos de origen vegetal como los frutos secos y las semillas también contienen grasas ocultas. «Caprichos» como el chocolate, la repostería, las patatas fritas y los aperitivos contienen una cantidad nada despreciable de grasas ocultas.

> **SUGERENCIA**
>
> Para no ingerir más grasa de la recomendada debemos calcular que la mitad la ingerimos en forma de grasas ocultas y la otra mitad como grasas y aceites visibles de alto valor cualitativo.

Entender las grasas. La clave está en los ácidos grasos

El valor saludable y las características de las grasas alimentarias vienen determinados por los ácidos grasos que contienen. Básicamente, los ácidos grasos se clasifican según su número de átomos de carbono (longitud de la cadena) y el grado de saturación con átomos de hidrógeno.

Si, como ocurre en la figura, el número de átomos de hidrógeno (blanco) unidos a la cadena de carbono (negro) es el máximo posible, hablaremos de ácidos grasos saturados.

Los ácidos grasos saturados, como por ejemplo el ácido esteárico, pueden ser fabricados a demanda por el organismo humano.

saturado (ácido esteárico)

hidrógeno = ○

carbono = ●

oxígeno = ●

Si los ácidos grasos contienen pocos átomos de hidrógeno reciben el nombre de ácidos grasos insaturados. En los espacios vacíos se establece una unión de carbono doble. Según la cantidad de átomos de hidrógeno que falten en la cadena de carbono se producen en esos lugares una o varias uniones dobles de carbono. De esta manera hablamos de ácidos monoinsaturados o poliinsaturados.

Asimismo, el hombre es capaz de fabricar ácidos grasos monoinsaturados como el ácido oleico (ácidos grasos omega-9). En este caso la unión doble se localiza en el 9° átomo de carbono.

monoinsaturado (ácido oleico omega-9)

Los ácidos grasos poliinsaturados son clasificados en dos grupos: la posición de la unión doble es la que determina si se trata de ácidos grasos poliinsaturados del grupo omega-6 u omega-3.

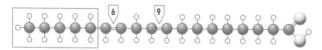

poliinsaturado (ácido linoleico omega-6)

El ácido linoleico poliinsaturado tiene dos lugares de unión libres. El primero se localiza en el 6° átomo de carbono. Forma parte del grupo omega-6.

poliinsaturado (ácido linolénico omega-3)

En el caso del ácido linolénico poliinsaturado existen tres lugares de unión libres. La primera se encuentra en el 3er átomo de carbono. Así pues, pertenece al grupo omega-3.

En lo referente a los ácidos grasos poliinsaturados del grupo del ácido linoleico (ácidos grasos omega-6) y del grupo del ácido linolénico alfa (ácidos grasos omega-3), la situación es distinta. El organismo no es capaz de producir los ácidos grasos básicos del grupo omega-6 ni los del grupo omega-3. En ambos casos, el organismo humano solo puede alargar la cadena, es decir, añadir más carbohidratos, o bien crear nuevas uniones dobles.

Ya que son imprescindibles para la vida, es decir, esenciales, estos ácidos grasos deben ser aportados regularmente a través de la dieta.

Las diferencias químicas influyen sobre las características físicas de las grasas. Las grasas con un alto contenido en ácidos grasos saturados son de estructura más sólida. Las grasas con una elevada proporción de ácidos grasos insaturados son fluidas. Además, los distintos ácidos grasos tienen diferentes efectos sobre el organismo (véanse págs. 19/20).

Las grasas de los alimentos con una elevada proporción de ácidos grasos poliinsaturados son especialmente valiosas. Estas se encuentran sobre todo en los aceites vegetales y en el pescado azul.

INTERACCIÓN ENTRE LAS GRASAS DE LOS ALIMENTOS Y LOS LÍPIDOS SANGUÍNEOS

La cantidad y la calidad de grasa de la dieta se traduce en el colesterol y los triglicéridos sanguíneos. Con la elección de las grasas alimentarias también puede influirse activamente sobre los lípidos sanguíneos.

Elección correcta de los ácidos grasos

Los ácidos grasos saturados de cadena larga (AGS) de 12, 14 y 16 átomos de carbono y de origen animal aumentan el colesterol LDL perjudicial y los triglicéridos.

➤ Así pues, los AGS deben suponer como máximo el 10% del aporte energético.

Los ácidos grasos trans (AGT) provienen principalmente de las grasas solidificadas químicamente y en menor proporción de la leche y los productos lácteos. Los ácidos grasos trans elevan también la LDL perjudicial y reducen la HDL beneficiosa (véanse págs. 24-25).

➤ La ingesta de ácidos grasos trans no debería sobrepasar el 1% del aporte total de energía.

Los ácidos grasos monoinsaturados (AGMI) del aceite de oliva y de colza reducen la LDL perjudicial cuando se toman en sustitución de los ácidos grasos saturados.

➤ Más del 10% (del 12% al 17%) del aporte energético debe cubrirse con AGMI.

Los ácidos grasos poliinsaturados del grupo omega-6, presente por ejemplo en el aceite de cártamo y de girasol o las margarinas dietéticas, reducen la concentración del colesterol LDL, aunque también reducen la del HDL.

➤ Se recomienda que el 2,5% del aporte de energía sea en forma de ácido linoleico (D-A-CH, 2000).

Los ácidos grasos poliinsaturados del grupo omega-3, presentes en pescados azules como el arenque, el salmón y la caballa, así como en el aceite de linaza y el de colza, reducen el nivel de triglicéridos en sangre y tienen un efecto beneficioso sobre el sistema de coagulación de la sangre y la presión arterial.

➤ Se recomienda que el 0,5% del aporte energético sea en forma de ácido linoleico alfa (D-A-CH, 2000).

La recomendación de los ácidos grasos omega-6 y omega-3 de cadena larga es muy reciente.

La ingesta a partes iguales de ácidos grasos omega-6 de cadena larga (ácido araquidónico, AA) y ácidos grasos omega-3 de cadena larga (ácido eicosapentaenoico, EPA y ácido decosahexaenoico, DHA), de entre 200 y 300 mg al día es recomendable para la prevención y optimización del sistema inmunitario. Esta nueva recomendación no se encuentra todavía en los valores de referencia D-A-CH. Los ácidos grasos omega-6 de cadena larga solo se encuentran en grandes cantidades en la grasa de animales terrestres. Los ácidos grasos omega-3 de cadena larga solo se encuentran en cantidades destacables en la grasa del pescado azul (véase a partir de la pág. 64).

Distribución óptima de los ácidos grasos

Los ácidos grasos de los alimentos ejercen diferentes acciones en el organismo. El objetivo de las recomendaciones relativas al aporte de ácidos grasos es principalmente la prevención de las enfermedades vasculares. La siguiente distribución de ácidos grasos tiene un efecto preventivo:

➤ un máximo del 10% de ácidos grasos saturados (AGS)

➤ un 3% de ácidos grasos poliinsaturados (AGPI)

➤ 2,5% del aporte energético en forma de ácido linoleico (ácidos grasos omega-6)

➤ 0,5% del aporte energético en forma de ácido linolénico alfa (ácidos grasos omega-3)

➤ el resto en forma de ácidos grasos monoinsaturados (AGMI)

Ejemplo de las necesidades diarias de ácidos grasos

Para el cálculo de la cantidad de ácidos grasos también es válido: 9 kcal representan 1 g o 1000 mg. En base a esta relación puede calcularse la proporción ideal de los distintos grupos de ácidos grasos de la dieta. Para una persona con unas necesidades energéticas totales de 1800 kcal, actividad física ligera y una recomendación de consumo de grasas del 25-30% se obtienen las siguientes cifras:

➤ 450-540 kcal = 50-60 g de grasa total

➤ máximo 180 kcal = 20 g de AGS

➤ 54 kcal = 6 g de AGPI

➤ 45 kcal = 5 g de ácidos grasos omega-6 en forma de ácido linoleico

➤ 9 kcal = 1 g de ácidos grasos omega-3 en forma de ácido linolénico alfa

➤ resto = 24-34 g de AGMI

El conocimiento de la composición de nuestras distintas grasas alimentarias es útil para todos aquellos que

➤ se preocupan por un consumo adecuado de ácidos grasos con el fin de prevenir la estenosis vascular;

➤ desean reducir el riesgo para su salud, debido a que ya sufren una enfermedad como las enfermedades cardiovasculares o la diabetes mellitus;

➤ están afectados por enfermedades inflamatorias como la artritis reumatoide, la enfermedad reumática articular más frecuente.

Grasas alimentarias de distintos orígenes

El pescado, sobre todo pescados azules como el arenque, el salmón o la caballa, tiene un alto contenido en ácidos grasos omega-3 de cadena larga, especialmente beneficiosos. El pescado debe formar parte regularmente, una o dos veces por semana, de nuestra dieta.

Los productos de origen animal como la mantequilla, la leche, el queso, los huevos y la carne contienen principalmente ácidos grasos saturados. El contenido relativamente bajo de ácidos grasos insaturados está formado principalmente por ácidos grasos omega-6, mientras que los ácidos grasos omega-3 representan solo una proporción muy pequeña.

Así pues, estos alimentos deben utilizarse con precaución y en cantidades moderadas.

La siguiente figura nos ofrece una visión de la composición porcentual de ácidos grasos de distintos alimentos de origen animal. Para asegurar una comparación más precisa se han elegido alimentos con un contenido graso similar.

Proporción de ácidos grasos de determinados alimentos de origen animal

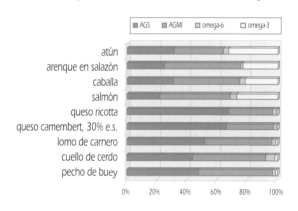

Las grasas alimentarias de origen vegetal, como las que contienen las semillas o los frutos secos y los aceites que se obtienen de ellos contienen básicamente ácidos grasos insaturados. Así pues, deben formar parte diariamente de la dieta.

La siguiente figura muestra las distintas proporciones de ácidos grasos de diferentes grasas y aceites de origen vegetal.

Proporción de ácidos grasos de determinadas grasas y aceites de origen vegetal

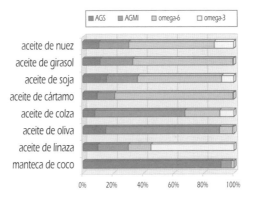

La figura deja claro que no todas las grasas vegetales presentan una distribución sana de ácidos grasos. La extremadamente consistente manteca de coco tiene, como era de esperar por su característica consistencia, un alto contenido en ácidos grasos saturados (AGS). A pesar de su origen vegetal, esta grasa tiene un efecto perjudicial sobre los lípidos sanguíneos, sobre todo por su alto contenido en ácidos grasos que aumentan los niveles de colesterol LDL. A ser posible, debería darse preferencia a los aceites vegetales beneficiosos en contra de la manteca de coco.

Aceite de oliva mediterráneo y aceite de colza

Los ácidos grasos monoinsaturados (AGMI) tienen un efecto beneficioso cuando sustituyen a los ácidos grasos saturados en la dieta. Así pues, los AGMI deberían representar el 12-17% del aporte de energía. El aceite de oliva, seguido del aceite de colza, tiene un elevado contenido en ácidos grasos monoinsaturados.

Desde hace años se sabe que la cocina mediterránea tiene un efecto positivo sobre la salud. En lugar de mantequilla y manteca de cerdo, las cuales son utilizadas en otras cocinas para freír, en la dieta mediterránea se utiliza preferentemente el aceite de oliva.

Como alternativa al aceite de oliva puede utilizarse también el aceite de colza. El aceite de colza tiene la ventaja añadida de que su contenido en ácidos grasos poliinsaturados (grupo omega-6 y grupo omega-3) es más alto que en el caso del aceite de oliva. El aceite de colza presenta otra ventaja: su contenido en vitamina E es esencialmente mayor que en el aceite de oliva.

A partir de la pág. 33 encontrará la descripción de los dos aceites, así como los datos de otros aceites vegetales.

Ácidos grasos trans en nuestra dieta

Los ácidos grasos trans (AGT) son ácidos grasos insaturados con una estructura especial. De esta manera se pierden importantes funciones biológicas.

Los ácidos grasos trans constituyen un componente natural de la grasa animal. En el tracto digestivo de los rumiantes se forman ácidos grasos trans por la acción de microorganismos. Los ácidos grasos trans se almacenan en el organismo y la leche de estos animales (véase pág. 25).

Con la manipulación tecnológica de los aceites vegetales pueden crearse ácidos grasos trans al solidificar parcialmente dichos aceites. De la advertencia «grasas y aceites vegetales parcialmente solidificados» no se desprende nada sobre su contenido en aceites grasos trans. Los ácidos grasos trans se encuentran también en margarinas de mala calidad, mantequilla de cacahuete, cremas de cacao, cremas nougat, galletas, chocolatinas, sopas instantáneas, productos elaborados y productos industriales fritos.

SUGERENCIA

Los tipos de margarina con la etiqueta de «margarina modificada» o con la anotación «calidad modificada» no contienen grasas solidificadas y de esta manera no contienen ácidos grasos trans.

Sobre los valores de colesterol en sangre, los ácidos grasos trans tienen el mismo efecto perjudicial que los ácidos grasos saturados: elevan la LDL «perjudicial». Su ingesta debería mantenerse por debajo del 1% del aporte energético. De 1800 kcal no representa ni tan solo 2 g al día.

Si se consumen muchos productos elaborados e industriales, productos fritos y golosinas, puede superar con facilidad la cantidad máxima tolerable del 1% de la energía total.

La siguiente tabla ofrece una visión del contenido de ácidos grasos trans de determinados alimentos.

Alimento	AGT/100 g de alimento
Patatas chips	0,1-3,9 g
Comida rápida	0,1-3,3 g
Margarina	0,1-3,0 g
Crema nougat	0,2-2,9 g
Patatas fritas	0,3-3,0 g
aceites alimenticios	trazas

Ácidos linoleicos conjugados

Los ácidos linoleicos conjugados (ALC) constituyen un subgrupo de los ácidos grasos trans. Los ALC son producidos como producto metabólico bacteriano del ácido linoleico en la panza y los tejidos (glándula mamaria) de los rumiantes. Por este motivo, la carne, la leche y los productos lácteos de los rumiantes (vaca, cordero) son la fuente principal de ALC para el hombre.

A diferencia de los ácidos grasos trans, los ALC han demostrado tanto en la experimentación animal como en los estudios de cultivos celulares su efecto beneficioso. A dosis terapéuticas, los ALC mostraron un efecto positivo contra el cáncer, la trombosis y la arterosclerosis. Además, se observó un efecto antioxidante y una influencia positiva sobre la composición del organismo. Los resultados de los estudios en cultivos celulares y en animales no permiten ninguna recomendación futura para el hombre y tampoco pueden descartarse efectos secundarios.

Efecto del colesterol alimentario sobre el colesterol sanguíneo

Un valor elevado de colesterol en sangre (sobre todo del colesterol LDL «malo») constituye uno de los principales factores de riesgo para la aparición de enfermedades cardiovasculares.

Sin embargo, la influencia del colesterol alimentario sobre el colesterol sanguíneo es relativamente pequeña. El valor de colesterol en sangre viene determinado básicamente por la producción de colesterol del propio organismo. A este nivel tiene importancia la composición de los ácidos grasos de la dieta (véanse pág. 19/20). En todos los animales, el colesterol es un componente esencial de las membranas celulares. Así pues, todos los alimentos de origen animal contienen colesterol.

No obstante, para evitar los efectos perjudiciales no deberían tomarse diariamente más de 300 mg de colesterol alimentario.

Una dieta pobre en productos de origen animal, es decir, con un bajo contenido de ácidos grasos saturados es automáticamente pobre en colesterol. La tabla de la página 38 y siguientes ofrece información sobre el contenido en colesterol de determinados alimentos.

Efecto de los fitosteroles sobre el colesterol sanguíneo

Los fitosteroles son sustancias similares a las grasas que se encuentran en los alimentos de origen vegetal. Su estructura química es igual a la del colesterol. El beta-sitosterol es el fitosterol que aparece porcentualmente con mayor frecuencia. En una dieta variada se ingieren diariamente hasta 200 mg de fitosteroles. Una dosis terapéutica de 100 mg de fitosteroles (p. ej. beta-sitosterol) al día evitan la captación de colesterol en el intestino aproximadamente en un 42%. No obstante, esto solo es así cuando el colesterol y los fitosteroles se ingieren simultáneamente.

Dado que los fitosteroles reducen también la captación de carotenos (precursores de la vitamina A) en sangre, su aportación en la dieta debe ser limitada. Hace unos años, en Alemania se introdujo en el mercado una margarina semidesnatada dietética con fitosteroles añadidos. Según el fabricante, existen estudios que confirman que el consumo diario de 20 g de esta margarina (representa un aporte de fitosteroles de 1,5 g) disminuye el colesterol LDL hasta un 10%.

Entre tanto, han aparecido en el mercado bebidas a base de yogur, yogures dietéticos, leches desnatadas y pan de centeno con fitosteroles añadidos. Lo importante es reducir la cantidad de grasas y ácidos grasos saturados mediante un consumo moderado de grasas de origen animal, así como de carne y productos derivados. Una dieta rica en verduras y frutas es esencialmente rica en fitosteroles, aunque incluso con una dieta muy rica en productos vegetales es difícil alcanzar dosis terapéuticas.

La tabla de las págs. 28/29 ofrece información sobre el contenido en fitosteroles de alimentos de origen vegetal.

Alimentos ricos en fitosteroles	Ración en g	Beta-sitosterol mg por ración	Otros fitosteroles mg por ración
Grasas y aceites vegetales y animales			
aceite de cacahuete	10	16	8
aceite de cártamo	10	18	22
aceite de colza	10	13	12
aceite de germen de trigo	10	161	80
aceite de girasol, refinado	10	21	12
aceite de linaza	10	21	21
aceite de maíz	10	60	25
aceite de oliva	10	12	2
aceite de pepitas de uva	10	26	9
aceite de semillas de algodón	10	30	3
aceite de semillas de amapola	10	17	7
aceite de semillas de calabaza	10	*	47
aceite de sésamo, refinado	10	43	29
aceite de soja, refinado	10	19	14
manteca de cacao	10	14	8
manteca de coco	10	5	5
margarina, margarina dietética	10	25	4
margarina, margarina semidesnatada	20	16	9
margarina, margarina vegetal	1	17	11
Frutos secos y semillas			
almendra, dulce	15	18	1
anacardo	15	20	2
cacahuete	15	21	7
castaña	15	3	1
coco	15	4	2
nuez pecana	15	13	1
nuez	15	13	1
pipas de girasol, peladas	15	14	6
pistacho	15	14	1

* No hay datos

Alimentos ricos en fitosteroles	Ración en g	Beta-sitosterol mg por ración	Otros fitosteroles mg por ración
Cereales, harinas y productos derivados			
harina de espelta	60	10	3
maíz, en grano	60	72	32
trigo, en grano	60	24	16
Legumbres y hortalizas			
calabaza, cruda	200	24	*
cebolla, cruda	200	24	2
coliflor, cruda	200	24	10
espárrago, crudo	200	28	10
lechuga, cruda	200	10	10
patata, cruda	350	11	4
pepino, crudo	200	28	*
soja, seca	75	68	47
tomate, crudo	200	6	9
zanahoria, cruda	200	14	8
Fruta			
albaricoque	150	24	2
cereza, dulce, cruda	150	18	*
ciruela, cruda	150	9	*
fresa, cruda	150	15	*
higo	150	41	6
limón	150	12	5
manzana, sin pelar, cruda	150	17	2
melocotón	150	9	6
naranja, cruda	150	26	9
pera, cruda	150	11	*
piña	150	6	2
plátano, crudo	100	11	5
pomelo, crudo	150	20	6
uva de vino, cruda	150	5	*

* No hay datos

LA ELECCIÓN CORRECTA
DE LAS GRASAS

Los siguientes consejos y la pirámide alimentaria ofrecen una visión de la introducción correcta de las grasas alimentarias.

Calcule de manera totalmente individual la cantidad de grasa que debe consumir al día

Esta sencilla fórmula es adecuada para todos los adultos con una actividad física ligera:

El peso ideal en kg se corresponde con la cantidad total de grasas alimentarias en g.

Un ejemplo:

70 kg ≙ 70 g de grasas alimentarias al día

➤ Asimismo, tenga en cuenta la calidad de la grasa –los ácidos grasos saturados no deben sobrepasar como máximo 1/3 de la cantidad de grasa–.

➤ Calcule que la mitad de las grasas de la dieta son grasas ocultas. Obtenga una visión rápida de las grasas de los alimentos con ayuda de la tabla de la pág. 38 y siguientes.

➤ Para la otra mitad utilice consecuentemente, siempre que sea posible, aceites vegetales de alto valor nutritivo.

A ser posible, normalice poco a poco su peso corporal

➤ Una pérdida de peso sana y poco sobrecargante es una pérdida de un 1% del peso corporal por semana.

SUGERENCIA

Asimismo, la fórmula es muy útil para todo aquel que quiera perder peso o mantenerlo.

➤ Para perder y mantener el peso corporal es útil la elección de los alimentos según el esquema de la pirámide nutricional (véase más abajo), practicar suficiente ejercicio físico y disfrutar de momentos de relajación con regularidad.

Consuma suficientes alimentos de origen vegetal

➤ Observe que, según la pirámide nutricional, los alimentos de origen vegetal constituyen la base.

➤ Los cereales integrales y los alimentos con ellos elaborados (pan, copos de avena, müsli, pasta, arroz, etc.), la fruta y las verduras aportan muchas vitaminas y fibra. Estos componentes tienen un efecto preventivo contra las enfermedades cardiovasculares.

(modificada según la AID)

Consuma cada día suficientes productos lácteos y queso, pero de manera moderada

➤ Estos alimentos son la mejor fuente de calcio. Sin embargo, también contienen cantidades importantes de ácidos grasos saturados, los cuales tienen un efecto negativo sobre los niveles de colesterol LDL en sangre.

➤ Haga una elección variada y al elegir los productos lácteos tenga en cuenta también su contenido en ácidos grasos saturados.
Los datos por ración de la tabla de la pág. 38 y siguientes le darán una noción rápida sobre el tema.

Consuma moderadamente carne y productos de origen animal

➤ Estos alimentos también contienen abundantes ácidos grasos saturados, los cuales tienen un efecto negativo sobre el nivel de colesterol LDL en sangre. Además, también tienen una relación negativa del ácido araquidónico (ácido graso omega-6 de cadena larga) frente al EPA/DHA (ácidos grasos omega-3 de cadena larga –véanse también pág. 64 y siguientes–. Sustituya parcialmente la carne por platos de legumbre.

Consuma con regularidad pescado y asegúrese de que el aporte de vitamina E es suficiente

➤ El pescado y sus productos derivados contienen los muy beneficiosos ácidos grasos poliinsaturados omega-3 de cadena larga. Consumir pescado una o dos veces por semana previene la aparición de enfermedades cardiovasculares.

Siempre que sea posible sustituya las grasas de origen animal por aceites vegetales de efecto beneficioso

➤ Siempre que sea posible sustituya las grasas animales por aceites vegetales con un patrón beneficioso de ácidos grasos.

➤ Sobre todo el aceite de colza tiene una composición ideal de ácidos grasos, además de una buena cantidad de vitamina E.

➤ Mida consecuentemente la cantidad de aceite con una cuchara, para no consumir en exceso estos alimentos energéticamente ricos.

Permítase pocos extras

➤ Los dulces, cosas para picar y tentempiés, así como los platos grasos pueden contener grandes cantidades de grasas ocultas.

➤ Las grasas de los extras contienen principalmente ácidos grasos saturados perjudiciales y, además, pueden ser una fuente de ácidos grasos trans.

ACEITES Y GRASAS DE ORIGEN VEGETAL IMPORTANTES

Los aceites y grasas vegetales encuentran usos muy variados. La siguiente tabla ofrece una visión de los mismos:

aceite/grasa vegetal	productor principal	es adecuado/se utiliza	particularidades
Aceite de cártamo obtenido de las semillas del cártamo mediante prensado	India, México, EE.UU.	➤ para ensaladas ➤ para entrantes fríos ➤ aceite de dieta ➤ para la elaboración de margarina	los nuevos cultivos contienen hasta un 83% de ácido oleico (AGMI)
Aceite de cacahuete, de cacahuetes desgranados y pelados	China, India, EE.UU.	➤ para ensaladas ➤ para freír y cocinar como grasa para untar (manteca de cacahuete) ➤ para la elaboración de margarina	alta resistencia al calor
Aceite de avellana, de avellanas peladas	Turquía	➤ para ensaladas ➤ para cocinar	se enrancia rápidamente, por lo que debe guardarse en el frigorífico
Manteca de cacao, de las semillas de cacao prensadas en la elaboración de cacao en polvo	Sudamérica, África	➤ para el chocolate y los dulces que contienen chocolate ➤ para productos farmacéuticos y cosméticos	el cacao en polvo muy desgrasado contiene un mínimo de 8% de manteca de cacao el cacao en polvo poco desgrasado contiene un mínimo del 20%

aceite/grasa vegetal	productor principal	es adecuado/se utiliza	particularidades
Manteca de coco por prensado y extracción de la pulpa seca del fruto del cocotero	Indonesia, Filipinas, India	➤ para la elaboración de margarina ➤ para dulces ➤ para freír ➤ para cocinar	alta resistencia al calor
Aceite de calabaza, de las semillas peladas o sin pelar de la calabaza	Austria, Hungría	➤ para ensaladas ➤ para platos crudos	no debe calentarse; guardar en un lugar oscuro y fresco; contiene mucha vitamina E; sabor intenso característico rico en ácido oleico y ácido linoleico
Aceite de linaza por prensado de las pequeñas semillas pardas molidas del lino	China, Bélgica, EE.UU., Alemania	➤ para ensaladas ➤ para platos crudos ➤ un clásico: patatas, queso fresco y aceite de linaza	se enrancia con facilidad, por lo que debe guardarse en el frigorífico
Aceite de nuez de Macadamia por prensado del fruto	Australia, Nueva Zelanda, Sudáfrica, Hawai	➤ para comidas frías ➤ como producto para el cuidado de la piel	Ideal para ensaladas
Aceite de germen de maíz, del germen de las semillas del maíz mediante prensado y/o extracción	en todo el mundo	➤ para platos fríos ➤ para frituras rápidas ➤ para la elaboración de margarina	muy estable gracias al alto contenido en vitamina E (tocoferol)

aceite/grasa vegetal	productor principal	es adecuado/se utiliza	particularidades
Aceite de almendras, de las almendras secas y peladas	España, Marruecos, Túnez, Irán, California	➤ para golosinas ➤ para productos dermatológicos ➤ para platos fríos ➤ para ensaladas	sabor característico
Aceite de amapola, mediante prensado de las semillas maduras y limpias de la amapola	Austria	➤ como aceite de mesa ➤ para la elaboración de colorantes ➤ para ensaladas ➤ para platos de alimentos crudos	no debería calentarse; guardarlo en el frigorífico
Aceite de oliva, por prensado de la pulpa y el hueso de las olivas	España, Italia, Grecia, California, Australia, Nueva Zelanda	➤ para rehogar y freír ➤ como aceite para ensalada	estable al calor; clasificación en ocho categorías; para protección de la calidad; cuatro son adecuadas para el consumo
Aceite de palma, de la pulpa de las palmas de aceite prensado o bien extraído	Malasia, Indonesia	➤ para la elaboración de margarina ➤ para la fabricación de jabones ➤ para freír	el aceite de palma crudo es rojo anaranjado
Aceite de palmiste, del hueso del fruto de la palma de aceite	Malasia, Indonesia	➤ para cocinar y freír	insensible a las altas temperaturas; se estropea por la acción del oxígeno

aceite/grasa vegetal	productor principal	es adecuado/se utiliza	particularidades
Aceite de colza, de las semillas de la planta de la colza o de la nabina (de la misma familia) mediante prensado y/o extracción	Alemania, Austria	➤ como aceite de mesa ➤ para freír ➤ para la elaboración de margarina	como aceite de mesa se utilizan solo los tipos con un bajo contenido en ácido erúcico (ácido graso monoinsaturado considerado peligroso para la salud); se comercializa prensado en frío o refinado
Aceite de sésamo por prensado o extracción de las semillas de la planta tropical del sésamo	China, India, Mianmar (Birmania)	➤ para la elaboración de margarina ➤ para platos asiáticos	muy inalterable por su alto contenido en antioxidantes
Aceite de soja por prensado y/o extracción de los frutos de la planta de la soja	EE.UU., Brasil, China, Argentina	➤ para la elaboración de margarina ➤ como aceite de mesa	adecuado para todos los platos y preparaciones
Aceite de girasol por prensado y/o extracción de las semillas de girasol	Ucrania, Argentina, China, Rumanía, India, Hungría, EE.UU.	➤ para la elaboración de margarina ➤ como aceite de mesa ➤ como grasa para cocinar	puede calentarse hasta los 180 °C
Aceite de pepitas de uva por prensado de las pepitas de la uva de vino	EE.UU., Francia, Alemania	➤ para ensaladas ➤ para el pescado ➤ para aves	se comercializa prensado en frío o refinado

aceite/grasa vegetal	productor principal	es adecuado/se utiliza	particularidades
Aceite de nuez del prensado de los frutos pelados del nogal	China, California, Irán, Turquía	➤ para ensaladas ➤ para platos fríos	con frecuencia, para potenciar el sabor a frutos secos, las nueces son tostadas antes de prensarlas; utilizar el aceite solo en frío
Aceite de germen de trigo por prensado y/o extracción del germen del trigo	EE.UU., Alemania	➤ para ensaladas ➤ para platos fríos ➤ para la elaboración de productos cosméticos (cremas y lociones)	producción escasa porque el germen contiene solo entre un 7 y un 12% de aceite solo para cocina en frío

COMPOSICIÓN EN ÁCIDOS GRASOS DE DETERMINADOS ALIMENTOS

(Los valores hacen referencia a la parte absorbible de una ración)

Alimento	Ración en g	kcal por ración	Grasa g por ración	
LECHE, PRODUCTOS LÁCTEOS Y HUEVOS				
Leche				
Leche cruda, leche de primera	200	134	7,6	
Leche de búfala	200	215	16	
Leche de cabra	200	139	7,8	
Leche de oveja	200	193	12,5	
Leche desnatada	200	70	0,1	
Leche entera, 3,5% de grasa	200	129	7	
Leche semidesnatada, 1,5% de grasa	200	95	3	
Productos de leche agria				
Suero de leche, endulzado	200	50	0,5	
Suero de mantequilla	200	74	1	
Yogur desnatado	200	69	0,2	
Yogur entero, 3,5% de grasa	200	127	7	
Yogur semidesnatado, 1,5% de grasa	200	93	3	
Otros productos lácteos				
Leche condensada, 10% grasa	20	35	2	
Leche condensada, 7,5% de grasa	20	27	1,5	
Leche en polvo entera	25	122	6,6	
Nata agria, extra	30	57	5,4	

☺ = patrón de ácidos grasos beneficioso, bajo contenido en ácidos grasos saturados
☺ = patrón de ácidos grasos neutro
☹ = patrón de ácidos grasos perjudicial, en relación con un elevado contenido en ácidos grasos saturados

AGS g por ración	AG-trans g por ración	AGMI g por ración	AGPI Omega-6 g por ración	AGPI Omega-3 g por ración	Colesterol mg por ración	Valoración
4,9	0,2	1,8	0,1	0,1	24	☹
10	*	4	0,2	0,2	*	☹!
5,1	0,2	1,7	0,2	0,1	22	☹
7,9	0,6	2,7	0,4	0,1	*	☹
0,1	*	0,04	+	+	6	☹
4	0,3	1,9	0,1	0,1	22	☹
1,8	*	0,8	0,1	0,03	10	☹
*	*	*	*	*	*	☹
*	*	*	*	*	8	☹
0,1	*	0,1	0,001	0,0003	6	☹
4,3	*	2,1	0,2	0,1	22	☹
1,8	*	0,8	0,1	0,02	10	☹
1	0,1	0,5	0,04	0,01	7	☹
0,8	0,05	0,4	0,03	0,01	5	☹
3,9	*	2,1	0,1	0,04	24	☹
3,2	*	1,4	0,1	0,1	18	☹

! = más de 10 g de grasa por ración
* = no existen datos
+ = presente en trazas

Alimento	Ración en g	kcal por ración	Grasa g por ración	
Nata, 10% (desnatada, para el café)	20	25	2,1	
Nata, 30% de grasa (para montar)	20	62	6,3	

QUESO

Queso fresco, quark

Feta, 45% grasa e. s.	30	71	5,4	
Mozzarella	30	76	5,9	
Quark, 20% grasa e.s.	30	33	1,5	
Quark, 40% grasa e.s.	30	48	3,4	
Queso fresco, 50% grasa e.s.	30	85	7,1	
Queso fresco, doble nata	30	102	9,5	
Ricotta	30	52	4,5	

Queso duro, queso de corte, queso blando, queso fundido

Bel paese	30	112	9,1	
Brie, 50% grasa e.s.	30	103	8,4	
Butterkäse, 50% grasa e.s.	30	103	8,6	
Camembert, 30% grasa e.s.	30	65	4,1	
Camembert, 40% grasa e.s.	30	82	6,2	
Camembert, 45% grasa e.s.	30	86	6,7	
Camembert, 50% grasa e.s.	30	94	7,7	
Camembert, 60% grasa e.s.	30	113	10,2	
Chester, 50% grasa e.s.	30	117	9,7	
Edamer, 30% grasa e.s.	30	76	4,9	
Edamer, 40% grasa e.s.	30	95	7	
Edamer, 45% grasa e.s.	30	106	8,5	
Emmental, 45% grasa e.s.	30	119	9,4	
Gorgonzola	30	108	9,4	
Gouda, 45% grasa e.s.	30	100	7,6	

☺ = patrón de ácidos grasos beneficioso, bajo contenido en ácidos grasos saturados
☺ = patrón de ácidos grasos neutro
☺ = patrón de ácidos grasos perjudicial, en relación con un elevado contenido en ácidos grasos saturados

AGS g por ración	AG-trans g por ración	AGMI g por ración	AGPI		Colesterol mg por ración	Valoración
			Omega-6 g por ración	Omega-3 g por ración		
1,3	*	0,6	0,04	0,02	7	☹
3,5	*	1,7	0,1	0,04	22	☹
3,4	0,2	1,1	0,1	0,1	14	☹
3	*	1,4	0,1	0,04	14	☹
0,8	0,05	0,4	0,03	0,01	5	☹
2	0,1	0,9	0,1	0,02	11	☹
4,2	*	1,9	0,2	0,05	23	☹
5,7	*	2,5	0,2	0,1	31	☹
2,7	*	1,2	0,1	0,04	*	☹
5,7	*	2,6	0,1	*	*	☹
3,9	0,4	2,1	0,1	0,1	30	☹
4,4	0,3	1,9	0,1	0,1	*	☹
2,2	0,1	1,1	0,1	0,03	11	☹
3,4	0,2	1,6	0,1	0,05	*	☹
3,8	0,2	1,7	0,1	0,1	19	☹
4,5	0,2	2,1	0,1	0,1	21	☹
5,6	0,3	2,7	0,2	0,1	28	☹
5,8	*	2,2	0,1	0,1	25	☹
3	0,1	1,1	0,1	0,03	11	☹
4,4	0,1	1,8	0,1	0,05	21	☹
5,2	0,1	2	0,1	0,1	18	☹
5,5	*	1,9	0,2	0,1	26	☹
4,6	0,3	2,3	0,2	0,04	*	☹
5,8	0,1	1,9	0,1	0,1	34	☹

! = más de 10 g de grasa por ración
* = no existen datos
+ = presente en trazas

Alimento	Ración en g	kcal por ración	Grasa g por ración	
Gruyère, 45% grasa e.s.	30	120	9,6	
Limburgo, 20% grasa e.s.	30	55	2,6	
Limburgo, 40% grasa e.s.	30	80	5,9	
Parmesano, 37% grasa e.s.	30	112	7,7	
Provolone	30	110	8,7	
Queso azul, 50% grasa e.s.	30	106	8,9	
Queso fundido, 45% grasa e.s.	30	81	7,1	
Queso fundido, 60% grasa e.s.	30	98	9,1	
Queso munster, 45% grasa e.s.	30	87	6,8	
Queso munster, 50% grasa e.s.	30	96	7,9	
Queso tilsit, 30% grasa e.s.	30	81	5,2	
Queso tilsit, 45% grasa e.s.	30	107	8,3	
Roquefort	30	109	9,2	
Huevos				
Huevos de gallina, 58 g por pieza (peso M)	52	81	5,9	
Yema de huevo, tamaño medio, 19 g	19	67	6,1	

GRASAS, ACEITES, FRUTOS SECOS, SEMILLAS
Grasas y aceite de origen vegetal

Aceite de cacahuete	10	90	10	
Aceite de cártamo	10	90	10	
Aceite de colza	10	90	10	
Aceite de germen de maíz	10	90	10	
Aceite de germen de trigo	10	90	10	
Aceite de girasol (refinado)	10	90	10	
Aceite de linaza	10	90	10	
Aceite de nuez	10	90	10	
Aceite de oliva	10	90	10	

☺ = patrón de ácidos grasos beneficioso, bajo contenido en ácidos grasos saturados
☺ = patrón de ácidos grasos neutro
☹ = patrón de ácidos grasos perjudicial, en relación con un elevado contenido en ácidos grasos saturados

| AGS g por ración | AG-trans g por ración | AGMI g por ración | AGPI | | Colesterol mg por ración | Valoración |
			Omega-6 g por ración	Omega-3 g por ración		
5,1	*	2,8	0,4	0,1	*	☹
1,6	0,04	0,7	0,04	0,1	6	☹
3,7	0,1	1,5	0,1	0,03	27	☹
4,8	0,2	1,9	0,1	0,1	20	☹
5,3	*	2,3	0,2	0,1	*	☹
5	0,3	2	0,2	0,1	26	☹
3,7	0,1	1,4	0,1	0,03	16	☹
4,7	0,2	1,8	0,1	0,04	*	☹
4,2	0,1	1,6	0,1	0,04	29	☹
4,9	0,1	1,9	0,1	0,05	29	☹
3,2	0,1	1,2	0,1	0,04	11	☹
5,1	0,2	1,9	0,2	0,1	18	☹
5,8	0,2	2	0,2	0,2	*	☹
1,7	0,01	2,5	0,9	0,1	206	😐
1,8	0,02	2,4	0,9	0,1	239	😐
2	*	5,6	2,2	0,1	0	☺
0,9	*	1,1	7,5	0,05	0	☺
0,7	*	5,8	2,2	0,9	0	☺
1,3	*	2,6	5,6	0,1	0	☺
1,7	*	1,5	5,6	0,8	0	☺
1,1	*	2	6,3	0,1	0	☺
1	*	1,9	1,4	5,3	0	☺
1	0,02	1,8	5,2	1,2	0	☺
1,4	*	7,1	0,8	0,1	0	☺

! = más de 10 g de grasa por ración
* = no existen datos
+ = presente en trazas

Alimento	Ración en g	kcal por ración	Grasa g por ración	
Aceite de palma	10	90	10	
Aceite de pepitas de uva	10	90	10	
Aceite de pipas de calabaza	10	90	10	
Aceite de sésamo (refinado)	10	90	10	
Aceite de soja (refinado)	10	90	10	
Manteca de cacahuete	10	62	4,8	
Manteca de cacao	10	90	10	
Manteca de coco	10	90	10	
Margarina dietética	10	72	8	
Margarina estándar para cocinas colectivas	10	72	8	
Margarina semidesnatada	20	74	8	
Margarina vegetal	10	72	8	
Frutos secos y semillas				
Almendra, dulce	15	87	8,1	
Anacardo	15	86	6,3	
Avellana	15	97	9,2	
Cacahuete tostado	15	88	7,4	
Cacahuete	15	85	7,2	
Castaña	15	29	0,3	
Coco	15	54	5,5	
Linaza	15	56	4,6	
Nuez de Brasil	15	101	10	
Nuez de Macadamia	15	105	11	
Nuez pecana	15	105	10,8	
Nuez	15	99	9,4	
Pipas de calabaza	15	85	6,8	
Pipas de girasol, peladas	15	87	7,4	
Pistacho	15	89	7,7	

☺ = patrón de ácidos grasos beneficioso, bajo contenido en ácidos grasos saturados
☺ = patrón de ácidos grasos neutro
☹ = patrón de ácidos grasos perjudicial, en relación con un elevado contenido en ácidos grasos saturados

COMPOSICIÓN EN ÁCIDOS GRASOS DE DETERMINADOS ALIMENTOS

AGS g por ración	AG-trans g por ración	AGMI g por ración	AGPI Omega-6 g por ración	Omega-3 g por ración	Colesterol mg por ración	Valoración
4,8	*	3,7	1	0,1	0	☺
0,9	*	1,7	6,6	0,05	0	☺
1,7	*	2,8	4,9	0,05	0	☺
1,3	*	4	4,3	0,1	0	☺
1,5	*	1,9	5,3	0,8	0	☺
0,9	*	2,6	1	*	*	☺
6,1	0,01	3,1	0,2	0,03	0	☹
8,6	*	0,7	0,2	*	0	☹
2,6	0,04	1,8	3,1	0,2	0	☺
2,4	*	3,3	1,8	0,2	12	☺
2,2	0,2	2,7	2,3	0,3	1	☺
3,1	0,3	2,7	1,7	0,3	1	☺
0,6	*	4,9	1,9	0,04	0	☺
1,4	*	3,7	1,1	0,02	0	☺
0,6	*	6,9	1,3	0,02	0	☺
1,1	*	3,4	2,1	0,1	0	☺
1	*	3,3	2,1	0,1	0	☺
0	*	0,2	0,1	0,01	0	☺
4,8	*	0,3	0,1	*	0	☹
0,4	*	0,8	0,6	2,5	0	☺
2,2	*	2,8	4,5	*	0	☺
1,5	*	8,6	0,3	*	0	☺!
0,8	*	7	2,3	0,1	0	☺!
1	*	1,7	5,1	1,2	0	☺
0	*	*	*	*	0	☺
0,8	*	2	4,2	0,01	0	☺
0,9	*	5,2	1,1	0,03	0	☺

! = más de 10 g de grasa por ración
* = no existen datos
+ = presente en trazas

Alimento	Ración en g	kcal por ración	Grasa g por ración	
Semillas de amapola	15	72	6,3	
Semillas de sésamo	15	85	7,6	
Grasas de origen animal				
Grasa de ganso	10	90	10	
Manteca de carnero	10	75	8,1	
Manteca de cerdo	10	90	10	
Manteca de vacuno	10	90	10	
Mantequilla derretida	10	90	10	
Mantequilla	10	75	8,3	
Mantequilla semidesnatada a partir de mantequilla de primera calidad	20	78	8	
PESCADO Y MARISCO				
Pescados marinos				
Abadejo	100	81	0,9	
Anchoa	100	216	16,6	
Arenque del Atlántico	100	233	17,8	
Atún	100	226	15,5	
Bacalao joven	100	77	0,7	
Boquerón	100	101	2,3	
Caballa del Cantábrico	100	155	9,2	
Caballa	100	182	11,9	
Congrio	100	181	14,5	
Falsa limanda	100	72	1,1	
Gallineta	100	105	3,6	
Gato azul de mar	100	80	1,9	
Halibut blanco	100	95	1,6	
Halibut de Groenlandia (halibut negro)	100	144	10,1	

☺ = patrón de ácidos grasos beneficioso, bajo contenido en ácidos grasos saturados
☻ = patrón de ácidos grasos neutro
☹ = patrón de ácidos grasos perjudicial, en relación con un elevado contenido en ácidos grasos saturados

AGS g por ración	AG-trans g por ración	AGMI g por ración	AGPI Omega-6 g por ración	Omega-3 g por ración	Colesterol mg por ración	Valoración
0,7	*	0,7	4,6	0,1	0	☺
1,1	*	3	2,8	0,1	0	☺
2,8	*	5,8	1	0,2	*	☹
4,3	*	3,2	0,3	*	11	☹
3,9	0,04	4,4	1,1	0,1	9	☹
4,8	0,3	3,9	0,3	0,04	9	☹
6,3	0,4	2,5	0,2	0,05	29	☹
5,3	0,3	2,1	0,1	0,05	24	☹
5,1	0,3	2,1	0,1	0,05	28	☹
0,2	*	0,2	0,02	0,5	39	☺
4	*	6,5	0,3	3,9	109	☺!
3,3	*	8,8	0,2	4	77	☺!
4,1	*	4,2	0,5	4,2	*	☺!
0,1	*	0,1	0,03	0,3	34	☺
0,7	*	0,5	0,1	0,6	*	☺
2,5	*	2,3	0,5	2,2	44	☺
3,3	*	4,7	0,3	2,3	82	☺!
4,7	*	5,2	0,2	3,1	23	☺!
0,2	*	0,3	0,05	0,4	15	☺
0,7	*	1,8	0,3	0,5	30	☺
0,3	*	0,8	0,1	0,5	33	☺
0,3	*	0,4	0,1	0,6	24	☺
1,5	*	6,7	0,1	0,8	*	☺!

! = más de 10 g de grasa por ración
* = no existen datos
+ = presente en trazas

Alimento	Ración en g	kcal por ración	Grasa g por ración	
Jurel	100	114	3,9	
Lenguado	100	82	1,4	
Limanda	100	78	0,9	
Lisa	100	120	4,3	
Merlango	100	77	0,6	
Merluza	100	94	2,8	
Pez espada	100	117	4,4	
Platija	100	72	0,7	
Rape	100	66	0,7	
Sardina	100	118	4,5	
Solla	100	86	1,9	
Otros crustáceos y mariscos				
Bogavante	100	81	1,9	
Cangrejo de río	100	64	0,5	
Gamba del Mar del Norte	100	87	1,4	
Langosta	100	84	1,1	
Mejillón	100	69	2	
Ostras	100	66	1,2	
Pescados de río				
Anguila de río	100	281	24,5	
Brema	100	116	5,5	
Carpa	100	115	4,8	
Corégono	100	100	3,2	
Lucio	100	81	0,9	
Lucioperca	100	83	0,7	
Perca	100	81	0,8	
Salmón	100	202	13,6	
Siluro	100	163	11,3	

☺ = patrón de ácidos grasos beneficioso, bajo contenido en ácidos grasos saturados
😐 = patrón de ácidos grasos neutro
☹ = patrón de ácidos grasos perjudicial, en relación con un elevado contenido en ácidos grasos saturados

AGS g por ración	AG-trans g por ración	AGMI g por ración	AGPI Omega-6 g por ración	Omega-3 g por ración	Colesterol mg por ración	Valoración
0,8	*	1,7	*	0,5	*	☺
0,4	*	0,4	0,1	0,3	50	☺
0,2	*	0,2	0,04	0,2	*	☺
1,5	*	1,4	0,3	0,6	81	☺
0,1	*	0,1	0,03	0,2	35	☺
0,6	*	0,6	0,1	0,8	*	☺
0	*	1,9	0,1	1	39	☺
0,2	*	0,3	0,02	0,1	48	☺
0,2	*	0,1	0,03	0,3	25	☺
1,2	*	1,1	0,1	1,5	*	☺
0,4	*	0,4	0,1	0,6	63	☺
0,2	*	0,4	0,1	0,6	89	☺
0,1	*	0,1	0,04	0,1	158	☺
0,3	*	0,2	0,1	0,4	138	☺
0,1	*	0,1	0,2	0,3	140	☺
0,6	*	0,5	0,1	0,4	126	☺
0,4	*	0,2	0,03	0,2	260	☺
5,7	*	11,4	1,4	1,8	164	☺!
1,6	*	1,2	0,1	1,5	*	☺
1	*	2,3	0,5	0,6	75	☺
0,7	*	1,4	0,3	0,7	*	☺
0,1	*	0,2	0,1	0,3	63	☺
0,1	*	0,2	0,04	0,2	*	☺
0,1	*	0,1	0,05	0,2	72	☺
2,9	*	6,1	0,6	3,6	44	☺!
3,2	*	2,7	1,3	0,8	152	☺!

! = más de 10 g de grasa por ración
* = no existen datos
+ = presente en trazas

Alimento	Ración en g	kcal por ración	Grasa g por ración	
Trucha	100	103	2,7	
Conservas de pescado				
Abadejo ahumado	30	30	0,2	
Anchoa ahumada	30	73	5,5	
Anguila ahumada	30	99	8,6	
Arenque ahumado	30	67	4,7	
Arenque en salazón	30	65	4,6	
Arenque marinado, ahumado	30	63	4,8	
Caballa ahumada	30	67	4,7	
Gallineta ahumada	30	43	1,7	
Gato azul de mar ahumado	30	63	4,8	
Halibut ahumado (halibut negro)	30	67	5,1	
Merlango ahumado	30	28	0,1	
Platija ahumada	30	33	0,6	
Sardinas en aceite	30	66	4,2	
CARNE Y AVES				
Aves				
Corazón de pollo	100	124	5,3	
Gallina	100	257	20,3	
Ganso	100	342	31	
Hígado de pollo	100	131	4,7	
Muslo de pava sin piel	100	114	3,6	
Muslo de pollo con piel	100	174	11,2	
Pato	100	227	17,2	
Pava joven	100	151	6,8	
Pavo, ejemplar adulto	100	157	8,5	
Pechuga de pava sin piel	100	105	1	

☺ = patrón de ácidos grasos beneficioso, bajo contenido en ácidos grasos saturados
☺ = patrón de ácidos grasos neutro
☺ = patrón de ácidos grasos perjudicial, en relación con un elevado contenido en ácidos grasos saturados

AGS g por ración	AG-trans g por ración	AGMI g por ración	AGPI Omega-6 g por ración	AGPI Omega-3 g por ración	Colesterol mg por ración	Valoración
0,6	*	0,8	0,3	0,8	56	☺
0	*	0,1	0,01	0,1	*	☺
1,3	*	2,2	0,1	1,3	*	☺
2	*	4	0,5	0,7	*	☺
0,8	*	2,3	0,1	0,8	27	☺
1,1	*	2,3	0,05	1	*	☺
0,9	*	2,4	0,1	1,1	*	☺
0,9	*	2	0,1	1,2	*	☺
0,3	*	0,8	0,2	0,3	*	☺
0,2	*	0,5	0,04	0,3	*	☺
0,8	*	3,5	0,1	0,4	*	☺
0	*	0,02	0,01	0,1	*	☺
0,1	*	0,2	0	0,1	*	☺
0,7	*	1,7	0,1	0,8	42	☺
1,4	*	1,5	1,2	0,04	170	☹
6,5	*	6,6	4,9	0,6	*	☹!
8,7	*	16,3	3,1	0,2	86	☹!
1,6	*	1,2	0,6	0,1	492	☹
1,4	*	0,9	1	*	72	☹
3,7	*	3,2	2,4	0,2	87	☹!
5,7	*	8,2	2,1	0,2	76	☹!
1,7	*	2,4	1,6	0,1	75	☹
2,2	*	3	2,3	0,2	74	☹
0,4	*	0,2	0,2	*	44	☹

! = más de 10 g de grasa por ración
* = no existen datos
+ = presente en trazas

Alimento	Ración en g	kcal por ración	Grasa g por ración	
Pechuga de pollo con piel	100	145	6,2	
Pollo asado	100	166	9,6	
Carnero, cordero				
Corazón	100	157	10	
Costilla	100	348	32	
Filete	100	112	3,4	
Lomo	100	194	13,2	
Paletilla	100	287	25	
Pecho	100	381	37	
Pierna	100	234	18	
Ternera				
Carne magra	100	95	0,8	
Corazón	100	113	5,1	
Filete	100	95	1,4	
Hígado	100	130	4,1	
Paleta	100	107	2,6	
Pecho	100	131	6,3	
Riñón	100	124	6,4	
Buey				
Cadera (parte de la cola)	100	107	2,4	
Carne magra	100	105	1,9	
Corazón	100	121	6	
Costilla alta (costilla gruesa para asar)	100	153	8,1	
Cuello	100	150	8,1	
Espalda	100	129	5,3	
Filete	100	121	4	
Hígado	100	130	3,4	
Lomo (*rostbeef*)	100	130	4,5	

☺ = patrón de ácidos grasos beneficioso, bajo contenido en ácidos grasos saturados
☻ = patrón de ácidos grasos neutro
☹ = patrón de ácidos grasos perjudicial, en relación con un elevado contenido en ácidos grasos saturados

AGS g por ración	AG-trans g por ración	AGMI g por ración	AGPI		Colesterol mg por ración	Valoración
			Omega-6 g por ración	Omega-3 g por ración		
1,9	0,02	2	1,3	0,3	62	☺
2,6	*	3,5	2,2	0,2	99	☺
*	*	4,2	0,4	0,1	130	☹
14,6	2,6	12,6	0,7	0,4	70	☹!
1,6	*	2,2	0,1	0,03	65	☹
6	*	5,2	0,3	0,2	65	☹!
11,4	*	9,8	0,6	0,3	*	☹!
16,9	*	14,5	0,9	0,5	*	☹!
8,2	*	7,1	0,4	0,2	70	☹!
0,3	*	0,2	0,3	0,01	70	☹
*	*	*	0,3	*	140	☹
0,5	0,02	0,6	0,1	0,1	70	☹
*	*	*	0,4	*	360	☹
1,4	*	1	0,1	0,02	70	☹
2,6	*	2,4	0,4	0,1	*	☹
2,9	*	3	0,1	0,1	380	☹
1	*	1,1	0,1	0,03	49	☹
0,8	0,03	0,8	0,1	0,03	70	☹
*	*	*	0,2	0,1	125	☹
3,6	*	3,7	0,2	0,1	47	☹
3,6	*	3,7	0,2	0,1	60	☹
2,3	*	2,4	0,2	0,1	57	☹
1,8	0,1	1,7	0,1	0,04	51	☹
*	*	*	0,2	*	260	☹
1,9	*	2	0,2	0,1	49	☹

! = más de 10 g de grasa por ración
* = no existen datos
+ = presente en trazas

Alimento	Ración en g	kcal por ración	Grasa g por ración	
Pecho	100	200	14	
Riñón	100	116	5,1	
Cerdo				
Carne magra	100	105	1,9	
Chuleta ahumada	100	151	7,5	
Corazón	100	97	2,6	
Cuello	100	191	13,8	
Filete	100	104	2	
Hígado	100	129	4,5	
Pie de cerdo (pata trasera)	100	186	12,2	
Riñón	100	96	3,2	
Tocino	100	261	21,1	
Otros				
Caballo	100	108	2,7	
Jabalí	100	162	9,3	
Productos cárnicos, salchichas				
Jamón, salado y cocido	30	38	1,1	
Mortadela	30	103	9,8	
Panceta ahumada	30	112	10	
Tocino entreverado	30	186	19,5	
LEGUMBRES				
Fríjol	75	180	1,1	
Guisantes	75	203	1,1	
Harina de soja, entera	75	260	15,5	
Judía careta	75	301	12,2	
Judía lima	75	206	1,1	
Judía mungo	75	202	0,9	

☺ = patrón de ácidos grasos beneficioso, bajo contenido en ácidos grasos saturados
☺ = patrón de ácidos grasos neutro
☹ = patrón de ácidos grasos perjudicial, en relación con un elevado contenido en ácidos grasos saturados

AGS g por ración	AG-trans g por ración	AGMI g por ración	AGPI		Colesterol mg por ración	Valoración
			Omega-6 g por ración	Omega-3 g por ración		
6,5	*	6,6	0,3	0,2	70	☹!
2,4	*	1,5	0,1	0,1	340	☹
0,6	*	0,8	0,2	0,1	65	😐
3,1	*	3,5	0,4	0,1	*	☹
0,7	*	0,4	0,8	0,2	154	😐
5,8	*	6,4	0,8	0,2	64	☹!
0,8	+	0,9	0,1	0,02	55	😐
1,7	*	0,6	1	0,4	368	☹
5,1	*	5,6	0,7	0,2	70	☹!
1,2	*	0,6	0,8	0,3	405	☹
9,1	*	9,8	1	0,1	59	☹!
1	*	1,1	0,3	0,3	60	😐
3,2	*	4,5	0,7	*	63	😐
0,4	0,002	0,5	0,1	0,01	18	☹
3,4	0,03	4,6	1	0,2	26	☹
3,7	0,05	4,6	0,9	0,2	*	☹
8,4	*	8,8	1	0,1	*	☹!
0,4	*	0,1	0,3	0,2	0	😐
0,2	*	0,1	0,5	0,1	0	🙂
2,2	*	2,6	8	1,1	0	🙂!
4,4	*	4,4	2,6	0,2	0	😐!
0,3	*	0,1	0,4	0,2	0	🙂
0,2	*	0,2	0,1	0,4	0	🙂

! = más de 10 g de grasa por ración
* = no existen datos
+ = presente en trazas

Alimento	Ración en g	kcal por ración	Grasa g por ración	
Soja	75	247	13,7	

CEREALES Y DERIVADOS				
Cereales, harinas y productos farináceos				
Alforfón, grano sin cáscara	60	202	1	
Amaranto	60	222	5,3	
Arroz, grano, arroz integral	60	207	1,3	
Arroz, grano, refinado	60	206	0,4	
Avena mondada	60	204	3,5	
Avena, grano	60	196	4,3	
Cebada, grano	60	188	1,3	
Centeno, grano	60	176	1	
Copos de avena (integrales)	60	209	4,2	
Germen de trigo	60	187	5,5	
Harina de espelta	60	199	1,6	
Maíz, grano	60	194	2,3	
Maíz, harina integral	60	194	1,7	
Mijo, grano	60	210	2,3	
Quinoa	60	201	3	
Salvado de trigo	60	103	2,8	
Sorgo	60	209	1,9	
Trigo, grano	60	178	1,1	
Pan				
Pan de Graham (pan negro)	100	199	1	
Pastas				
Pasta al huevo	60	212	1,7	

☺ = patrón de ácidos grasos beneficioso, bajo contenido en ácidos grasos saturados
☻ = patrón de ácidos grasos neutro
☹ = patrón de ácidos grasos perjudicial, en relación con un elevado contenido en ácidos grasos saturados

AGS g por ración	AG-trans g por ración	AGMI g por ración	AGPI		Colesterol mg por ración	Valoración
			Omega-6 g por ración	Omega-3 g por ración		
2	*	3,1	7,4	0,7	0	☺!
0,2	*	0,3	0,3	0,05	0	☺
1,3	*	1,3	2,4	0,05	0	☺
0,4	*	0,3	0,5	0,02	0	☺
0,1	*	0,1	0,1	0,01	0	☺
0,7	*	1,2	1,4	0,05	0	☺
0,9	*	1,5	1,6	0,1	0	☺
0,3	*	0,2	0,7	0,1	0	☺
0,2	*	0,3	0,5	0,04	0	☺
0,8	*	1,6	1,5	0,1	0	☺
0,8	*	0,7	2,2	0,2	0	☺
0,1	*	0,3	0,7	0,1	0	☺
0,4	*	0,7	1	0,02	0	☺
0,2	*	0,5	0,8	0,02	0	☺
0,6	*	0,6	1,1	0,1	0	☺
0,3	*	0,8	1,5	0,1	0	☺
0,5	*	0,5	1,3	0,03	0	☺
0,3	*	0,6	0,6	0,04	0	☺
0,2	*	0,1	0,5	0,03	0	☺
0,2	*	0,2	0,6	0,04	0	☺
*	*	*	0,5	0,05	*	*

! = más de 10 g de grasa por ración
* = no existen datos
+ = presente en trazas

Alimento	Ración en g	kcal por ración	Grasa g por ración	
VERDURAS Y SETAS				
Verduras				
Achicoria, cruda	200	33	0,4	
Ajo, crudo	200	278	0,2	
Apionabo, crudo	200	37	0,7	
Brotes de bambú, crudos	200	35	0,6	
Calabaza, cruda	200	49	0,3	
Cebolla, cruda	200	55	0,5	
Cebollino, crudo	10	3	0,1	
Col blanca	200	50	0,4	
Col de Bruselas, cruda	200	72	0,7	
Col lombarda, cruda	200	43	0,4	
Col, cruda	200	73	1,8	
Coliflor, cruda	200	45	0,6	
Colinabo, crudo	200	47	0,2	
Diente de león	50	13	0,3	
Espárrago, crudo	200	35	0,3	
Espinaca, cruda	200	32	0,6	
Guisantes, verdes, vaina y granos, crudos	200	162	1	
Judía verde, cruda	200	66	0,5	
Lechuga, cruda	200	23	0,4	
Mastuerzo, crudo	10	3	0,1	
Nabicol, cruda	200	58	0,3	
Ñame	200	197	0,2	
Pastinaca, cruda	200	118	0,9	
Patata, cruda	350	239	0,4	
Pepino, crudo	200	25	0,4	
Perejil, hojas, crudo	10	5	0	

☺ = patrón de ácidos grasos beneficioso, bajo contenido en ácidos grasos saturados
☺ = patrón de ácidos grasos neutro
☹ = patrón de ácidos grasos perjudicial, en relación con un elevado contenido en ácidos grasos saturados

AGS g por ración	AG-trans g por ración	AGMI g por ración	AGPI Omega-6 g por ración	AGPI Omega-3 g por ración	Colesterol mg por ración	Valoración
0,1	*	0,01	0,1	0,1	0	☺
0	*	0,01	0,1	0,01	0	☺
0,1	*	0,03	0,3	0,03	0	☺
0,1	*	0,02	0,2	0,1	0	☺
0,1	*	0,004	0	0,1	0	☺
0,2	*	0	0,2	0	0	☺
+	*	0,002	0,01	0,03	0	☺
0,1	*	0,01	0,1	0,2	0	☺
0,1	*	0,02	0,1	0,3	0	☺
0,1	*	0,01	0,1	0,1	0	☺
0,2	*	0,04	0,3	0,7	0	☺
0,1	*	0,01	0,1	0,2	0	☺
0,1	*	0,03	0	0,1	0	☺
0	*	0,01	0	0,1	0	☺
0,1	*	0,01	0,1	0,01	0	☺
0,1	*	0,03	0,1	0,3	0	☺
0,2	*	0,1	0,5	0,1	0	☺
0,1	*	0,01	0,1	0,1	0	☺
0,1	*	0,01	0,1	0,1	0	☺
0	*	0,001	+	0,03	0	☺
0	*	0,01	0,1	0,1	0	☺
0,1	*	0,1	0	0	0	☺
0,1	*	0,05	0,5	0,04	0	☺
0,1	*	0,01	0,1	0,1	0	☺
0,1	*	0,01	0,1	0,1	0	☺
0	*	0,001	0	0,01	0	☺

! = más de 10 g de grasa por ración
* = no existen datos
+ = presente en trazas

Alimento	Ración en g	kcal por ración	Grasa g por ración	
Perejil, raíz, cruda	200	80	0,9	
Pimiento, crudo	200	37	0,4	
Puerro, crudo	200	49	0,6	
Rábano picante, crudo	200	126	0,6	
Rábano rojo, crudo	200	29	0,3	
Rábano, crudo	200	31	0,3	
Remolacha, cruda	200	82	0,2	
Ruibarbo, crudo	200	27	0,3	
Tomate, crudo	200	35	0,4	
Topinambur	200	61	0,8	
Zanahoria, cruda	200	52	0,4	
SETAS				
Champiñón	200	32	0,5	
Seta de chopo	200	22	0,4	
FRUTA				
Aceituna, verde, macerada	50	69	7	
Aguacate, crudo	50	110	11,8	
Albaricoque	150	64	0,2	
Caqui, crudo	150	105	0,5	
Cereza, ácida, cruda	150	80	0,8	
Cereza, dulce, cruda	150	94	0,5	
Ciruela, cruda	150	73	0,3	
Frambuesa	150	50	0,5	
Fresa, cruda	150	48	0,6	
Grosella negra	150	59	0,3	
Grosella, cruda	150	49	0,3	
Guayaba	150	51	0,8	

☺ = patrón de ácidos grasos beneficioso, bajo contenido en ácidos grasos saturados
☻ = patrón de ácidos grasos neutro
☹ = patrón de ácidos grasos perjudicial, en relación con un elevado contenido en ácidos grasos saturados

AGS g por ración	AG-trans g por ración	AGMI g por ración	AGPI Omega-6 g por ración	Omega-3 g por ración	Colesterol mg por ración	Valoración
0,2	*	0,1	0,4	0,1	0	☺
0,1	*	0,01	0,2	0,1	0	☺
0,2	*	0,03	0,3	0,1	0	☺
0,1	*	0,1	0,1	0,2	0	☺
0,1	*	0,03	0	0,1	0	☺
0,1	*	0,03	0	0,1	0	☺
+	*	0,02	0,1	0,02	0	☺
0,1	*	0,01	0,1	0,03	0	☺
0,1	*	0,1	0,2	0,02	0	☺
0,2	*	0,02	0,3	0,1	0	☺
0,1	*	0,01	0,2	0,02	0	☺
0,1	*	0	0,3	0	0	☺
0,1	*	0	0,2	0	0	☺
0,9	*	5,1	0,6	0,1	0	☺
0,9	*	7,7	0,8	0,1	0	☺!
+	*	0,1	+	*	0	☺
0,1	*	0,1	0,1	+	0	☺
+	*	0,2	0,1	0,1	0	☺
0,1	*	0,1	0,1	0,1	0	☺
+	*	0,1	0,1	+	0	☺
+	*	+	0,2	0,1	0	☺
+	*	0,1	0,2	0,2	0	☺
+	*	+	0,1	0,1	0	☺
0,1	*	+	0,1	+	0	☺
0,2	*	0,1	0,2	0,1	0	☺

! = más de 10 g de grasa por ración
* = no existen datos
+ = presente en trazas

COMPOSICIÓN EN ÁCIDOS GRASOS DE DETERMINADOS ALIMENTOS

Alimento	Ración en g	kcal por ración	Grasa g por ración
Higo	150	92	0,8
Limón	150	54	0,9
Mango, crudo	150	86	0,7
Manzana, con piel, cruda	150	80	0,9
Melocotón	150	62	0,2
Melón cantalupe	150	82	0,2
Membrillo	150	57	0,8
Naranja, cruda	150	63	0,3
Papaya	150	56	0,1
Pera, cruda	150	83	0,4
Piña	150	83	0,3
Plátano, crudo	100	88	0,2
Pomelo, crudo	150	57	0,2
Sandía, cruda	150	56	0,3
Uva de mesa, cruda	150	101	0,4
Uva espina, cruda	150	56	0,2

☺ = patrón de ácidos grasos beneficioso, bajo contenido en ácidos grasos saturados
☻ = patrón de ácidos grasos neutro
☹ = patrón de ácidos grasos perjudicial, en relación con un elevado contenido en ácidos grasos saturados

AGS g por ración	AG-trans g por ración	AGMI g por ración	AGPI Omega-6 g por ración	Omega-3 g por ración	Colesterol mg por ración	Valoración
0,1	*	0,1	0,3	*	0	☺
0,2	*	0,1	0,3	0,1	0	☺
0,2	*	0,3	+	0,1	0	☺
0,3	*	0	0,3	0,1	0	☺
+	*	0,1	0,1	+	0	☺
+	*	+	+	+	0	☺
0,1	*	0,2	0,3	+	0	☺
+	*	0,1	0,1	+	0	☺
+	*	+	+	+	0	☺
0,1	*	0,1	0,2	+	0	☺
+	*	+	0,1	+	0	☺
0,1	*	+	+	+	0	☺
0,1	*	+	0,1	+	0	☺
0,1	*	+	+	0,1	0	☺
0,1	*	+	0,2	0,1	0	☺
+	*	+	0,1	+	0	☺

! = más de 10 g de grasa por ración
* = no existen datos
+ = presente en trazas

INFLUENCIA DE LAS GRASAS SOBRE LAS ENFERMEDADES INFLAMATORIAS

En el organismo, las inflamaciones son favorecidas por los mediadores de la inflamación. Estas sustancias reciben también el nombre de *eicosanoides* (prostaglandinas, leucotrienos, tromboxanos). En el tejido inflamatorio aumentan su producción a partir del ácido araquidónico (AA).

El ácido araquidónico favorece la inflamación

El **ácido araquidónico (AA)** es la sustancia precursora de las distintas hormonas tisulares y sustancias mediadoras. El organismo humano es capaz de formar el ácido araquidónico (ácido graso omega-6 de cadena larga), paso a paso, a partir del ácido linoleico (ácido graso omega-6).

La cantidad de ácido linoleico que se transforma en ácido araquidónico viene determinada, entre otros, por la demanda de las sustancias que se forman a partir de este ácido graso. Solo el hombre y los animales son capaces de fabricar ácido araquidónico. Así pues, este ácido graso solo se encuentra en la parte grasa de los alimentos de origen animal.

Una dieta pobre en ácido araquidónico puede mejorar los síntomas de las enfermedades inflamatorias, como la enfermedad articular inflamatoria más frecuente, la artritis reumatoide.

Nuestros hábitos alimentarios, con una elevada proporción de carnes y grasas animales, son los responsables de que ingiramos gran cantidad de ácido araquidónico con la dieta. Un exceso de ácido araquidónico aumenta la coagulación sanguínea, así como las reacciones inmunológicas y alérgicas. La tabla de la pág. 68 y siguientes muestra qué alimentos y cuánto ácido araquidónico contienen. La ingesta de ácido arquidónico con la dieta debería reducirse a menos de 50 mg al día.

Esta cantidad es la que contienen 30 g de manteca de cerdo o una ración de 100-150 g de carne magra (véase también tabla pág. 76). De aquí se desprenden recomendaciones prácticas sobre las cantidades diarias de carne y productos cárnicos grasos. Como regla general:

➤ no consumir más de 150 g de carne al día.

➤ Si la comida principal contiene carne, en las comidas de bocadillo debería utilizarse a ser posible queso y productos para untar de origen vegetal, en lugar de productos cárnicos y de charcutería.

Los ácidos grasos omega-3 frenan la inflamación

Los **ácidos eicosapentaenoico (EPA)** y **Docosahexaenoico (DHA)** son ácidos grasos omega-3 de cadena larga que están presentes en abundancia en los aceites de pescado. Estos ácidos grasos (principalmente el EPA) reducen los procesos inflamatorios. Pueden considerarse el competidor positivo del ácido araquidónico, ya que inhiben su metabolismo.

Así pues, el EPA y el DHA tienen un efecto beneficioso sobre la viscosidad de la sangre, la agregación plaquetar (agregación trombocitaria) y el sistema inmunitario.

Asimismo, el DHA reduce el nivel de triglicéridos en sangre.

Una dieta que incluya pescado con regularidad, una o dos veces por semana, puede tener un efecto preventivo frente a las enfermedades cardiovasculares.

En el organismo, el EPA y el DHA también pueden fabricarse a pequeña escala a partir del ácido alfa-linolénico. Una buena fuente del mismo lo constituyen distintos aceites vegetales (véase también tabla de la pág. 38 y siguientes).

No obstante, como la velocidad de transformación es limitada, el EPA y el DHA también deben ingerirse directamente. Las mejores fuentes son los pescados grasos como el arenque, el salmón, la caballa y el atún.

Recomendaciones dietéticas para la artritis reumatoide (AR)

En el caso de esta forma de reumatismo con importantes inflamaciones articulares, en primera instancia son válidas las cuatro recomendaciones generales para el reumatismo:

1. Normalizar el peso corporal (IMC < 25).

2. Dieta lactovegetariana (dieta constituida por alimentos de origen vegetal, leche y productos lácteos, sin otros productos de origen animal) –eventualmente, después de un breve periodo de ayuno realizado bajo control médico–.

3. Aporte suficiente de calcio (1000 mg al día) y ejercicio físico al aire libre (síntesis de vitamina D gracias a la radiación UV), para prevenir la osteoporosis. 80 g de queso desnatado y 250 g de yogur desnatado procuran un aporte adecuado de calcio. Asimismo, el agua mineral rica en calcio (como mínimo 150 mg de calcio por litro) también constituye una buena fuente.

4. Movilizar con regularidad todas las articulaciones. Son especialmente beneficiosas las actividades que no suponen una sobrecarga para las articulaciones, como la bicicleta en terreno plano o la natación.

ADEMÁS SON VÁLIDAS LAS SIGUIENTES RECOMENDACIONES

➤ Menos de 50 mg de ácido araquidónico al día.

➤ 1 g de ácido eicosapentaenoico (EPA) al día.

➤ 4 g de ácido alfa-linolénico (AGPI, ácido graso omega-3) y 8 g de ácido linoleico (AGPI, ácido graso omega-6) al día.

➤ Suficiente vitamina D como protección antioxidante.

➤ Suficientes vitaminas antioxidantes protectoras, especialmente la vitamina C y el betacaroteno (precursor de la vitamina A).

La tabla de la pág. 68 y siguientes ofrece información sobre el ácido araquidónico, el EPA y el DHA, contenidos en determinados alimentos.

Consejos dietéticos prácticos para personas con enfermedades inflamatorias

➤ A la semana un máximo de dos comidas de carne de 100 g de carne magra. Evitar la carne de cerdo.

➤ A ser posible, renunciar a los embutidos y sustituirlos por queso de como máximo 45% de materia grasa, pesado en seco.

➤ Consumir como máximo dos yemas de huevo a la semana.

➤ Evitar las grasas de origen animal (mantequilla, manteca, etc.).

➤ Utilizar diariamente aceites vegetales con un alto contenido en ácidos grasos omega-3 (aceite de linaza, aceite de colza, aceite de soja y aceite de nuez).

➤ Tomar a la semana dos comidas basadas en el pescado.

➤ Consumir al día cinco raciones de fruta fresca y verduras para optimizar el aporte de antioxidantes (betacaroteno, vitamina E, vitamina C).

➤ Consumir poco alcohol. Este puede aumentar la inflamación y favorecer la destrucción ósea.

➤ Tomar diariamente 0,5 l de leche desnatada o la cantidad correspondiente de productos lácteos y agua mineral rica en calcio (más de 150 mg de calcio por litro) como profilaxis contra la osteoporosis, optimizando el aporte de calcio.

➤ Para la prevención de la osteoporosis, realizar además diariamente ½ hora de ejercicio al aire libre para favorecer la formación de vitamina D.

CONTENIDO EN ÁCIDOS GRASOS OMEGA-6 Y OMEGA-3 DE CADENA LARGA

(Los valores se refieren a la parte consumible de una ración)

Alimento	Ración en g	kcal por ración	
LECHE, PRODUCTOS LÁCTEOS Y HUEVOS			
Leche			
Leche entera, 3,5% de grasa	200	129	
Leche semidesnatada, 1,5% de grasa	200	95	
Productos de leche agria			
Suero de mantequilla	200	74	
Yogur entero, 3,5% de grasa	200	127	
Yogur semidesnatado, 1,5% de grasa	200	93	
Otros productos lácteos			
Nata, 30% de grasa (para montar)	20	62	
Nata agria, extra	30	57	
Queso fresco, quark			
Camembert, 30% grasa e.s.	30	65	
Camembert, 45% grasa e.s.	30	86	
Camembert, 60% grasa e.s.	30	113	
Emmental, 45% grasa e.s.	30	119	
Quark de mesa, 20% grasa e.s.	30	33	
Queso tilsit, 45% grasa e.s.	30	107	

El término «factor ácidos grasos» se refiere al grupo de ácidos grasos que prevalece en cada alimento y que determinan los datos.   * Sin datos

Ácido araquidónico omega-6 (AA)
Ácido eicosapentaenoico omega-3 (EPA)
Ácido docosahexaenoico omega-3 (DHA)

AA mg por ración	EPA mg por ración	DHA mg por ración	EPA + DHA mg por ración	Factor ácidos grasos
8	*	*	*	✪
4	*	*	*	✪
2	*	*	*	✪
8	*	*	*	✪
4	*	*	*	✪
6	*	*	*	✪
3	*	*	*	✪
4	*	*	*	✪
7	*	*	*	✪
10	*	*	*	✪
8	*	*	*	✪
2	*	*	*	✪
8	*	*	*	✪

✪ AA = < 20 mg/ración
✪✪ AA = 20-250 mg/ración
✪✪✪ AA = > 250 mg/ración

* EPA-DHA = 150-250 mg/ración
** EPA-DHA = 250-1000 mg/ración
*** EPA-DHA = > 1000 mg/ración

Alimento	Ración en g	kcal por ración	
Huevos			
Huevos de gallina, 58 g por pieza (peso P. M)	52	81	
Yema de huevo, tamaño medio, 19 g	19	67	
GRASAS			
Grasas de origen animal			
Manteca de cerdo	10	90	
Manteca de vacuno	10	90	
Mantequilla	10	75	
Mantequilla semidesnatada a partir de mantequilla de primera calidad	20	78	
PESCADO Y MARISCO			
Pescados marinos			
Abadejo	100	81	
Anchoa	100	216	
Arenque del Atlántico	100	233	
Atún	100	226	
Bacalao joven	100	77	
Boquerón	100	101	
Caballa del Cantábrico	100	155	
Caballa	100	182	
Congrio	100	181	
Falsa limanda	100	72	
Gallineta	100	105	
Gato azul de mar	100	80	
Halibut blanco	100	95	
Halibut de Groenlandia (halibut negro)	100	144	

El término «factor ácidos grasos» se refiere al grupo de ácidos grasos que prevalece en cada alimento y que determinan los datos.   * Sin datos

AA mg por ración	EPA mg por ración	DHA mg por ración	EPA + DHA mg por ración	Factor ácidos grasos
36	*	*	*	✪✪
40	*	34	34	✪✪
170	*	*	*	✪✪✪
24	*	*	*	✪✪
11	*	1	1	✪
11	*	1	1	✪
11	101	338	439	★★
70	1367	1980	3347	★★★
37	2038	677	2715	★★★
245	1385	2082	3467	★★★
17	71	194	265	★★
10	210	290	500	★★
60	740	1170	1910	★★★
170	640	1138	1778	★★★
*	550	1840	2390	★★★
37	187	145	332	★
240	258	156	414	★★
37	178	215	393	★★
42	141	371	512	★★
29	255	387	642	★★

✪ AA = < 20 mg/ración
✪✪ AA = 20-250 mg/ración
✪✪✪ AA = > 250 mg/ración

★ EPA-DHA = 150-250 mg/ración
★★ EPA-DHA = 250-1000 mg/ración
★★★ EPA-DHA = > 1000 mg/ración

Alimento	Ración en g	kcal por ración	
Lenguado	100	82	
Limanda	100	78	
Lisa	100	120	
Merlango	100	77	
Merluza	100	94	
Pez espada	100	117	
Platija	100	72	
Rape	100	66	
Sardina	100	118	
Solla	100	86	
Otros crustáceos y mariscos			
Bogavante	100	81	
Cangrejo de río	100	64	
Gamba del Mar del Norte	100	87	
Langosta	100	84	
Mejillón	100	69	
Ostras	100	66	
Pescados de río			
Anguila de río	100	281	
Brema	100	116	
Carpa	100	115	
Corégono	100	100	
Lucio	100	81	
Lucioperca	100	83	
Perca	100	81	
Salmón	100	202	
Siluro	100	163	
Trucha	100	103	

El término «factor ácidos grasos» se refiere al grupo
de ácidos grasos que prevalece en cada alimento y
que determinan los datos.   * Sin datos

AA mg por ración	EPA mg por ración	DHA mg por ración	EPA + DHA mg por ración	Factor ácidos grasos
23	33	163	196	★
27	111	104	215	★
210	40	353	393	★★
17	66	153	219	★
32	236	443	679	★★
90	130	660	790	★★
12	54	59	113	✪
22	49	212	261	★★
8	580	810	1390	★★★
57	249	193	442	★★
7	350	165	515	★★
19	51	12	63	✪
68	206	160	366	★★
190	170	80	250	★
67	132	112	244	★
13	93	88	181	★
120	240	540	780	★★
*	458	866	1324	★★★
119	193	103	296	★★
130	205	230	435	★★
50	65	191	256	★★
21	84	103	187	★
35	52	123	175	★
190	749	1860	2609	★★★
125	150	395	545	★★
26	140	496	636	★★

✪ AA = < 20 mg/ración
✪✪ AA = 20-250 mg/ración
✪✪✪ AA = > 250 mg/ración

★ EPA-DHA = 150-250 mg/ración
★★ EPA-DHA = 250-1000 mg/ración
★★★ EPA-DHA = > 1000 mg/ración

Alimento	Ración en g	kcal por ración	
Conservas de pescado			
Abadejo ahumado	30	30	
Anchoa ahumada	30	73	
Anguila ahumada	30	99	
Arenque ahumado	30	67	
Arenque en salazón	30	65	
Arenque marinado, ahumado	30	63	
Caballa ahumada	30	67	
Gallineta ahumada	30	43	
Gato azul de mar ahumado	30	63	
Halibut ahumado (halibut negro)	30	67	
Merlango ahumado	30	28	
Platija ahumada	30	33	
Sardinas en aceite	30	66	
CARNE Y AVES			
Aves			
Gallina	100	257	
Hígado de pollo	100	131	
Muslo de pava sin piel	100	114	
Muslo de pollo con piel	100	174	
Pava joven	100	151	
Pavo, ejemplar adulto	100	157	
Pechuga de pava sin piel	100	105	
Pechuga de pollo con piel	100	145	
Pollo asado	100	166	
Ternera			
Carne magra	100	95	

El término «factor ácidos grasos» se refiere al grupo de ácidos grasos que prevalece en cada alimento y que determinan los datos.   * Sin datos

AA mg por ración	EPA mg por ración	DHA mg por ración	EPA + DHA mg por ración	Factor ácidos grasos
3	27	91	119	✪
23	441	631	1072	★★★
43	91	199	290	★★
16	290	290	580	★★
7	529	176	705	★★
10	550	183	732	★★
23	307	569	877	★★
110	118	71	189	★
20	98	118	215	★
15	134	203	337	★★
4	15	35	51	✪
10	44	49	93	✪
27	360	372	732	★★
850	*	460	460	✪✪✪
150	24	61	85	✪✪
170	*	*	*	✪✪
330	*	93	93	✪✪✪
143	*	17	17	✪✪
179	*	21	21	✪✪
55	*	*	*	✪✪
161	6	114	120	✪✪
226	7	105	112	✪✪
53	*	*	*	✪✪

✪ AA = < 20 mg/ración   ★ EPA-DHA = 150-250 mg/ración
✪✪ AA = 20-250 mg/ración   ★★ EPA-DHA = 250-1000 mg/ración
✪✪✪ AA = > 250 mg/ración   ★★★ EPA-DHA = > 1000 mg/ración

Alimento	Ración en g	kcal por ración	
Hígado	100	130	
Buey			
Cadera (parte de la cola)	100	107	
Carne magra	100	105	
Corazón	100	121	
Filete	100	121	
Hígado	100	130	
Lomo (*rostbeef*)	100	130	
Paleta	100	129	
Cerdo			
Carne magra	100	105	
Corazón	100	97	
Hígado	100	129	
Riñón	100	96	
Otros			
Caballo	100	108	
Productos cárnicos, salchichas			
Jamón, salado y cocido	30	38	
Panceta ahumada	30	112	
Tocino entreverado	30	186	
CEREALES Y DERIVADOS			
Trigo, grano	60	178	

El término «factor ácidos grasos» se refiere al grupo
de ácidos grasos que prevalece en cada alimento y
que determinan los datos.   * Sin datos

AA mg por ración	EPA mg por ración	DHA mg por ración	EPA + DHA mg por ración	Factor ácidos grasos
352	*	*	*	✪✪✪
19	*	*	*	✪
16	*	*	*	✪
48	*	*	*	✪✪
32	*	*	*	✪✪
210	*	*	*	✪✪
35	*	*	*	✪✪
42	*	*	*	✪✪
36	25	22	47	✪✪
190	91	78	169	✪✪
491	176	212	388	✪✪✪
351	136	107	243	✪✪✪
120	*	*	*	✪✪
15	*	*	*	✪
39	*	*	*	✪✪
75	*	*	*	✪✪
2	*	*	*	✪

✪ AA = < 20 mg/ración   ★ EPA-DHA = 150-250 mg/ración
✪✪ AA = 20-250 mg/ración   ★★ EPA-DHA = 250-1000 mg/ración
✪✪✪ AA = > 250 mg/ración   ★★★ EPA-DHA = > 1000 mg/ración

ANTIOXIDANTES. PROTECCIÓN PARA LOS ÁCIDOS GRASOS INSATURADOS

Los ácidos grasos insaturados deben ser protegidos de la oxidación (deterioro producido por el depósito de oxígeno). Una buena protección es la constituida por los antioxidantes. Uno de sus principales representantes es la vitamina E, la cual protege a los ácidos grasos insaturados de la acción de los radicales libres; se trata de partes de moléculas que desencadenan el proceso de la oxidación. Cuanto mayor es el número de uniones insaturadas que existe en una molécula de ácido graso, tanta más vitamina E será necesaria.

La siguiente tabla ofrece una idea de la cantidad de vitamina E necesaria para la protección de los ácidos grasos:

Ácido graso	Número de uniones insaturadas	mg de vitamina E necesarios por g de ácido graso insaturado
ácido oleico	1	0,06
ácido linoleico	2	0,4
ácido alfalinolénico	3	0,6
ácido araquidónico	4	0,8
EPA	5	1,0
DHA	6	1,2

El valioso pescado azul, fuente de abundantes ácidos grasos poliinsaturados de cadena larga, no contiene por sí mismo suficiente cantidad de vitamina E como protección contra la oxidación.

El consumo regular de alimentos ricos en vitamina E es tan importante como el consumo de ácidos grasos poliinsaturados.
Como orientación: en el adulto se recomienda una ingesta diaria de 14 mg de vitamina E.

Así pues, combine siempre el pescado rico en grasa, con un alto contenido en ácidos grasos poliinsaturados de cadena larga, con alimentos ricos en vitamina E.

Los alimentos ricos en vitamina E son los aceites de origen vegetal, los frutos secos y las semillas, distintas hortalizas y algunos tipos de fruta. La tabla de la página 81 ofrece datos sobre los alimentos ricos en vitamina E.

ACCIÓN COMBINADA DE LOS ANTIOXIDANTES NATURALES

La vitamina E protege eficazmente a los ácidos grasos de los radicales de oxígeno. Con el fin de que pueda ejercer de manera duradera su acción de captador de radicales, a su vez la vitamina E debe regenerarse constantemente. En el organismo, esta función es realizada por distintas sustancias que también tienen una acción antioxidante. Son especialmente importantes la vitamina C, junto a la ubiquinona (como coencima Q10), sistemas enzimáticos que contienen selenio y componentes del anabolismo proteico que contengan azufre.

En el adulto se recomienda una ingesta diaria de vitamina C de 100 mg.
La cantidad diaria de selenio recomendada es de 30-70 mg.

➤ La fruta, las verduras y las patatas son las mejores fuentes de vitamina C.
➤ La verdura es una buena fuente de Q 10.
➤ Los cereales, las patatas, la verdura, el pescado, las aves, la carne, los despojos, las nueces de Brasil y el coco son excelentes fuentes de selenio.

LOS CAROTENOS TAMBIÉN CAPTAN RADICALES LIBRES

Los carotenos son los precursores de la vitamina A. Además, estas sustancias vegetales bioactivas protegen a otras sustancias de la oxidación. Así por ejemplo, ofrecen una eficaz protección frente a la oxidación LDL y de esta manera una prevención eficaz de la arteriosclerosis. Dada la importancia de los carotenos por su acción de prevención de la arteriosclerosis y el cáncer, se recomienda una ingesta de 2 a 4 mg de betacaroteno al día.

Son buenas fuentes de carotenos:
➤ frutas y verduras de color amarillo, naranja y rojo;
➤ verduras verdes y
➤ cereales.

El consumo diario de cinco raciones de fruta y verdura, junto con una dieta variada y equilibrada, constituye una buena protección para los ácidos grasos insaturados.

CONSEJOS PARA LA PROTECCIÓN DE LAS GRASAS A NIVEL DOMÉSTICO

A nivel doméstico también puede hacerse mucho, con medios muy sencillos para la protección de las grasas y aceites frente a los procesos de oxidación. Para conseguir esta protección es importante guardarlos en un lugar fresco, así como evitar el contacto con el oxígeno del aire y la radiación UV. Así pues, los aceites deberían comprarse en botellas tintadas o en latas. El guardarlos en un lugar fresco es especialmente importante una vez abierta la botella. Además, los aceites no deben recalentarse.

SUGERENCIA

Compre los aceites que se estropean con facilidad solo en pequeñas cantidades, tenga especialmente en cuenta que el envase impida el contacto con la luz y guarde los aceites exclusivamente en el frigorífico.

Alimentos ricos en vitamina E	Ración en g	vitamina E mg por ración	% de la cantidad recomend. (14 mg)
Aceites, frutos secos y semillas			
Aceite de cacahuete	10	2,6	18%
Aceite de cártamo	10	4,8	34%
Aceite de colza	10	3	21%
Aceite de germen de maíz	10	3,1	22%
Aceite de germen de trigo	10	18,5	132%
Aceite de girasol	10	5	36%
Aceite de pepitas de uva	10	3,7	26%
Aceite de sésamo	10	2,8	20%
Aceite de soja	10	2,9	21%
Almendra, dulce	15	3,8	27%
Avellana	15	4	29%
Cacahuete	15	1,5	11%
Pipas de girasol, peladas	15	3,3	23%
Verduras			
Calabaza, cruda	200	2,2	16%
Col lombarda	200	3,4	24%
Col rizada	200	5	36%
Col, cruda	200	3,4	24%
Coliflor	200	3,4	24%
Espárrago	200	4,2	30%
Espinaca	200	2,8	20%
Pimiento	200	5	36%
Salsifino negro	200	12	86%
Tomate	200	1,6	11%
Fruta			
Arándano	150	4,1	29%
Frambuesa	150	1,4	10%
Grosella	150	2,9	20%
Mango	150	1,5	11%
Melocotón	150	1,5	11%

CONSEJOS PARA UN DÍA A DÍA CON CONCIENCIA DE LAS GRASAS

TODO EMPIEZA EN LA COMPRA

➤ Compre con la mayor frecuencia posible alimentos naturales y no procesados.

➤ Elija preferentemente carnes con poca grasa y aves, embutidos poco grasos, leche y productos lácteos.

➤ Adquiera solo ocasionalmente productos industriales. Con frecuencia, la cantidad y, sobre todo, la calidad de las grasas añadidas no puede valorarse con seguridad.

➤ No se deje engañar por las frases publicitarias de la parte delantera del producto. En el caso de los alimentos que todavía no conoce, lea la lista de ingredientes. Estos aparecen en la lista de mayor a menor porcentaje.

➤ En los alimentos industriales con bajo contenido en grasa, como los productos lácteos endulzados, no se fije exclusivamente en la parte grasa, ya que en estos con frecuencia se compensa la disminución de las grasas con un aporte muy alto de azúcares. ¡A pesar de contener pocas grasas, estos productos tienen muchas calorías!

La sustitución de los alimentos con un contenido normal en grasas por alimentos de bajo contenido en grasas solo es útil cuando la cantidad que se ingiere sigue siendo la misma. En la tabla de la página 84 encontrará otros consejos para reducir eficazmente las grasas.

➤ Últimamente, en el mercado han aparecido aperitivos salados bajos en grasas. No obstante, *30% menos de grasas* ¡no significa que estos productos tengan menos calorías!

➤ No se lleve a engaño y coma más porque un producto sea bajo en grasas. Así por ejemplo, si se corta el queso más grueso porque es un producto bajo en grasas, en total se estarán tomando más calorías e incluso más grasas que antes.

EMPIECE EL DÍA TOMANDO GRASAS VEGETALES SALUDABLES YA EN EL DESAYUNO

➤ Los incondicionales del müsli lo tienen extremadamente fácil para desayunar grasas beneficiosas. Las grasas del müsli pueden complementarse con las grasas beneficiosas de almendras, nueces, avellanas o semillas (véase también receta pág. 86).

➤ Los amantes del pan pueden utilizar una buena margarina vegetal y una cantidad prudente de queso. Un yogur con fruta fresca y un puñado de nueces constituye un complemento o un segundo desayuno ideal.

UTILICE ACEITES VEGETALES PARA LA PREPARACIÓN DE LOS PLATOS CALIENTES

➤ El aceite de colza o el de soja son aceites ideales para rehogar o freír.

➤ Tome semanalmente, con regularidad, pescado. Sobre todo, combine el pescado azul con alimentos ricos en vitamina E (véase pág. 81).

➤ A ser posible, consuma productos animales magros solo dos o tres veces por semana.

➤ Consuma legumbres con regularidad.

➤ La verdura o las ensaladas deberían suponer la parte más importante de las comidas. En este caso utilice también aceites vegetales para su preparación.

TOME CADA DÍA ENSALADA PARA ACOMPAÑAR AL BOCADILLO

➤ El aceite de colza combinado con el aceite de oliva (el que lo prefiera también con aceite de sésamo) es adecuado para un aliño de ensalada saludable desde el punto de vista de las grasas. También es recomendable la combinación de aceite de colza con aceite de linaza.

➤ Consuma un buen pan integral y sea moderado con el relleno del bocadillo.

CONSEJOS PARA REDUCIR LAS GRASAS A NIVEL DOMÉSTICO

Con los siguientes consejos puede reducir de manera muy efectiva el consumo diario de grasa, sobre todo de los ácidos grasos saturados.

Mantequilla y mermelada	La misma cantidad de queso fresco en lugar de la mantequilla
Queso fresco graso	Misma cantidad de queso fresco con 17% de contenido graso total
Queso de corte con un 45% de grasa, peso en seco	Misma cantidad de queso de corte con un 30% de grasa, peso en seco (= 17% grasa total)
Loncha gruesa de queso sobre el pan	Cortar las lonchas finas del trozo de queso con un buen cuchillo especial para queso
Grasa para untar debajo del queso o el embutido	Preferiblemente prescindir, ya que el queso y los embutidos ya tienen suficiente grasa
Embutidos	Jamón salado o cocido
Nata en salsas y guisos	Sustituir la mitad de la nata por leche desnatada o caldo de verduras
Crème fraîche en salsas y guisos	Sustituir la mitad de la *Crème fraîche* por leche desnatada o caldo de verduras
Leche entera	Misma cantidad de leche desnatada
Yogur entero	Misma cantidad de yogur desnatado
Batido de leche entera	Misma cantidad de leche o mantequilla de leche desnatada
Abundante aceite para cocinar o en la ensalada	Medir racionalmente la cantidad de aceite. 1-2 cucharadas por ración
Mayonesa para la ensalada	Sustituir la cantidad de mayonesa por 1-2 cucharadas de mayonesa + 1 cucharada de mostaza + yogur de 0,1-1,5% + especias
Alimentos empanados	Alimentos fritos sin rebozar en poco aceite
Butifarra	Filete tártaro o carne magra picada
Ensalada de patatas con mayonesa	Ensalada de patatas aliñada con aceite y vinagre y sazonada con hierbas frescas

ES IMPORTANTE UN ESTILO DE VIDA SANO

Un buen aceite y comer pescado, de acuerdo, ¿pero seguir con un estilo de vida poco sano? ¡No funcionará! El comer teniendo conciencia de las grasas es mucho más efectivo si se sigue un estilo de vida responsable.

Este cosiste en:

➤ Seguir una dieta equilibrada, con cinco raciones diarias de fruta y verduras. Además, esta fruta y verdura debe ser lo más variada posible y debe optarse por los productos de temporada.

➤ Un aporte suficiente de líquidos; por regla general, son suficientes entre 1,5 y 2 l de agua al día como complemento del agua que contienen los alimentos.

➤ El dejar de fumar y un consumo moderado de alcohol son métodos eficaces para reducir la presencia de radicales libres.

➤ El ejercicio físico regular mejora el nivel de lípidos en sangre –aumenta el colesterol HDL «bueno» y de esta manera se protege activamente contra el estrechamiento de los vasos sanguíneos–. Realizar ejercicio con regularidad significa dedicar como mínimo 30 minutos varias veces a la semana, preferiblemente cada día. El ejercicio debe ser moderado pero regular, sin necesidad de practicar deporte de alto rendimiento.

➤ El tipo de ejercicio recomendable depende de la edad y la forma física. Consúltelo con su médico.

RECETAS PARA UN APORTE ÓPTIMO DE ÁCIDOS GRASOS

Müsli con nueces

Ingredientes para 4 raciones
4 manzanas grandes
500 g de yogur desnatado
60 g de copos de avena integrales
60 g de nueces picadas
200 g de frambuesas (frescas o secas)

Preparación
1 Rallar finamente la manzana.
2 Mezclar con el yogur.
3 Incorporar las nueces y los copos de avena.
4 Repartir en platos y adornar con las frambuesas.

Este delicioso müsli constituye un magnífico comienzo de un día con poca grasa.

Por ración:
305 kcal (1274 kj)
35 g de hidratos de carbono, 10 g de proteína
6 mg de colesterol
13 g de grasa total
de estos, 3 g AGS, 3 g AGMI, 6 g AG omega-6, 1 g de AG omega-3*

* según datos disponibles

Fideos con atún y salsa de tomate

Ingredientes para 4 raciones
2 cebollas pequeñas cortadas a daditos
4 cucharadas de aceite de colza
400 g de filetes de atún fresco, cortado a dados
1 lata grande de tomate (400 g)
4 cucharadas de alcaparras
Sal y pimienta al gusto
400 g de fideos de trigo duro
1 puñado de perejil o albahaca finamente picados

Preparación
1 Pochar la cebolla en una sartén con el aceite de colza o similar.
2 Añadir los trozos de atún y sofreír.
3 Incorporar el tomate y las alcaparras, salpimentar y dejar cocer a fuego suave durante unos 20 minutos.
4 Entre tanto, cocer los fideos siguiendo las indicaciones del envase.
5 Mezclar los fideos y la salsa en un cuenco calentado previamente y echar por encima las hierbas. Servir en platos con una tajada de atún.

Con este plato se consigue un equilibrio óptimo de ácidos grasos. En lugar del atún también puede utilizarse salmón fresco.

Por ración:
735 kcal (3072 kj)
83 g de hidratos de carbono, 37 g de proteína
Colesterol (no se dispone de datos)
28 g de grasa total, de los que 5 g son AGS, 11 g AGMI, 3 g AG omega-6, 5 g AG omega-3*

* según datos disponibles

Salmón ahumado con salsa de mostaza y eneldo

Ingredientes para 4 personas
200 g de salmón ahumado

para la salsa
½-1 manojo (según la cantidad) de eneldo limpio
3 cucharaditas de mostaza
1-2 cucharaditas de zumo de naranja
2 cucharaditas de jarabe de arce
4 cucharadas de aceite de colza

Preparación
1 Picar el eneldo muy finamente, mezclar bien los demás ingredientes de la salsa (si es necesario utilizar una batidora) y mezclar con el eneldo. La salsa debe tener un sabor ligeramente agridulce.
2 Calentar brevemente el salmón en el horno precalentado a 150 °C. De esta manera adquiere un delicioso sabor, como recién ahumado.
3 Seguidamente, servir el salmón en platos con una ración de la salsa.

Si los colores y el aroma embriagan los sentidos, el sabor ya es el éxtasis. Su organismo recibirá abundantes grasas beneficiosas y, a través del aceite de colza, suficiente vitamina E protectora. Como complemento ideal puede acompañarse de pan y una ensalada variada.

Por ración:
262 kcal (1096 kj)
3 g de hidratos de carbono, 15 g de proteína
32 mg de colesterol
21 g de grasa total, de los que 3 g son AGS, 11 g AGMI, 3 mg AG omega-6, 4 mg AG omega-3*

* según datos disponibles

Ensalada verde con pimiento rojo, naranja y pipas de girasol

Ingredientes para 4 raciones
1 lechuga limpia según preferencias (lechuga larga, iceberg, hoja de roble)
1 pimiento rojo limpio
1 naranja pelada
4 cucharadas de pipas de girasol

para el aliño
3 cucharadas de aceite de colza
1 cucharada de aceite de linaza
2 cucharadas de vinagre balsámico blanco
2-4 cucharadas de zumo de naranja
2 cucharaditas de miel, sal y pimienta recién molida

Preparación
1 Cortar la lechuga a cuartos u octavos, según tamaño, y cortar en juliana.
2 Trocear un pimiento en octavos y en juliana fina.
3 Cortar la naranja en gajos.
4 Tostar ligeramente las pipas en una sartén sin grasa y reservar.
5 Mezclar los ingredientes del aliño.
6 Repartir equitativamente la lechuga, el pimiento y los gajos de naranja en platos. Echar por encima el aliño y adornar con las pipas de girasol tostadas.

Por ración:
211 kcal (887 kj)
13 g de hidratos de carbono, 4 g de proteína
< 0,3 mg de colesterol
16 g de grasa total, de los que 1 g son AGS, 6 g AGMI, 5 g AG omega-6, 2 g AG omega-3*

* según datos disponibles

GLOSARIO

Ácidos grasos monoinsaturados (AGMI): ácidos grasos que contienen una unión de carbono doble, p.ej. el ácido oleico.

Ácidos grasos omega-3: ácidos grasos muy insaturados imprescindibles para la vida (esenciales). Abundantes en el pescado azul.

Ácidos grasos omega-6: pertenecen también al grupo de los ácidos grasos esenciales. Debe procurarse un equilibrio entre los ácidos grasos omega-3 y los ácidos grasos omega-6. Abundante en el aceite de girasol.

Ácidos grasos poliinsaturados (AGPI): contienen dos o más uniones dobles de carbono. Algunos AGPI son esenciales y deben aportarse a través de la dieta (ácidos grasos omega-6 y omega-3).

Ácidos grasos saturados (AGS): son ácidos grasos en los que todos los átomos de hidrógeno están unidos a la cadena de carbono.

Ácidos grasos trans: son un componente natural de las grasas de origen animal y también se producen en la solidificación parcial de los aceites.

Antioxidantes: protegen los ácidos grasos insaturados del ataque de los radicales libres. La vitamina C y E son componentes importantes de este grupo.

Colesterol: es un componente de las membranas de todas las células del cuerpo, así como una sustancia precursora de importantes hormonas.

Fitosteroles: sustancias parecidas a las grasas, presentes en los alimentos de origen vegetal, que reducen los niveles demasiado elevados de colesterol uniéndose al mismo cuando ambas sustancias se ingieren simultáneamente.

Grasas: las fuentes de energía más importantes del organismo, con 9 kcal por gramo. Tienen importantes funciones de protección y almacenamiento y sirven como grasa estructural.

HDL: el llamado colesterol «bueno». Mantiene las arterias libres de colesterol y evita el estrechamiento de las mismas.

LDL: el llamado colesterol «malo». Transporta el colesterol desde el hígado hasta los tejidos del organismo. De esta manera, el colesterol puede depositarse en las paredes de las arterias y obturar los vasos.

ÍNDICE ALFABETICO

ADVERTENCIA IMPORTANTE

DIPL. DORIS FRITZSCHE

Estudio de Ciencias de la Nutrición en la Universidad de Giessen. Desde 1984 trabaja como ecotrofóloga autónoma. Coautora de numerosos libros especializados en el tema de la nutrición. Asesora para diabéticos y labor docente en centros especializados en diabetes. Moderadora y entrenadora en cursos de formación continuada para especialistas en diabetes y nutrición. Puntos fuertes de su trabajo: terapia nutricional, asesoramiento preventivo y promoción de la salud en la Praxisgemeinschaft für Ernährungstherapie und Ernährungsberatung de Wolfenbüttel.

DR. IBRAHIM ELMADFA

Estudio de la tecnología de la alimentación y de las ciencias de la nutrición. Doctorado y cátedra en el campo de la nutrición humana; profesor de esta materia en la Universidad de Giessen hasta 1990. Desde mayo de 1990 cátedra de Ciencias de la Nutrición en la Universidad de Viena. Puntos principales de investigación: metabolismo y necesidad de nutrientes de la persona sana y la enferma (grasas, vitaminas liposolubles), antioxidantes y sustancias adicionales, seguridad y calidad alimentarias, aspectos nutricionales en la promoción integrada de la salud.